JULIO CÉSAR CHÁVEZ

Adiós a la gloria

FRANCISCO PONCE

JULIO CÉSAR CHÁVEZ

Adiós a la gloria

grijalbo

JULIO CÉSAR CHÁVEZ
Adiós a la gloria

© 2000, Francisco Ponce Padilla

Fotografías de portada e interiores: Germán Canseco. Archivo Proceso

D.R. © 2000, por EDITORIAL GRIJALBO, S.A. de C.V.
    (Grijalbo Mondadori)
    Homero núm. 544,
    Chapultepec Morales, 11570
    Miguel Hidalgo, México, D.F.
    www.grijalbo.com.mx

D.R. © 2000, por COMUNICACIÓN E INFORMACIÓN S.A. de C.V.
    Fresas núm. 13,
    Col. Del Valle, 03100
    Benito Juárez, México, D.F.

ISBN 970-05-1277-0

IMPRESO EN MÉXICO

Índice

Advertencia

La concepción de este libro data de 1993, cuando
Julio César Chávez poseía un récord de 87-0. Mi
padre había recopilado suficiente material hemero-
gráfico para armar la trayectoria de JC, que sería
complementado con entrevistas realizadas por él a
los protagonistas de esta historia. La crónica es
resultado de un largo trabajo periodístico desde que
el ex campeón hiciera sus pininos en 1984 y concluye hasta 1998, año en que anunciaba el retiro después de su pelea contra Óscar de la Hoya.

Pero no fue así. Y la aparición del libro se fue pos-
tergando conforme el retiro de JC se alargaba. Al
morir mi padre, en 1999, dejó una obra terminada a la
espera de esos últimos acontecimientos; al escudri-

ñar en su computadora, reuní todos los capítulos existentes —cada uno de ellos fue confrontado con dos o tres versiones anteriores— y corroboré datos y fechas. De esa manera, el trabajo sufrió relativamente muy pocos cambios, y siempre respetando la idea original, incluyendo su título, que desde la presentación del proyecto a *Proceso*, en 1995, fue el mismo.

Tuvo que producirse la derrota de JC ante el ruso Konstantin Tszyu, a mediados de este año, para que, ahora sí, el mexicano anunciara su retiro definitivo, como lo señalamos en el Colofón de este libro, un añadido indispensable.

El resultado es una obra que habla sobre la difícil vida del ex campeón y su imposibilidad, ya fuera por una u otra razones, para retirarse a tiempo. Como veremos más adelante, esto es algo que tienta a la mayoría de los ídolos boxísticos, y no sólo ocurre en México.

Al mismo tiempo, es consecuencia de una manera de hacer periodismo, pues fue escrita con un estilo que el autor desarrolló a través de los años y concluye con este trabajo singular e inédito en nuestro medio.

Hacia el final del libro incluimos tres apéndices (columnas "Marcador") sobre JC. Creo que son una muestra de la dimensión con que el autor contempló la historia que ahora pasa a manos de los lectores.

Fausto Ponce

Prólogo
Paco Ponce: sociólogo del deporte

Hijo de Fausto Ponce, decano del periodismo deportivo en México, Francisco Ponce nació y creció inoculado por el periodismo, igual que sus hermanos Armando y Roberto. Francisco tomó la estafeta paterna, y mientras el eje de esa familia de reporteros seguía corriendo en las páginas de deportes del *Excélsior*, el mayor de los hermanos ingresó al mundo fascinante del fut, del beis, del box, del voli, del básquet, del tenis, del atletismo. De todo. Lo llegó a saber todo de todo. Nombres, records, fechas, ídolos. A su curiosidad reporteril saciada en las canchas y campos deportivos, en las arenas y en los estadios, en la confrontación directa con los atletas que entrevistaba con familiaridad sorprendente, Paco añadió una visión analítica, más profunda que el simple registro reporteril de quienes se dedican a eso, derivada de su otra gran inquietud: la sociología.

Se oye mal decirlo en forma tan solemne, pero Francisco Ponce era un sociólogo del deporte. No dejaba por eso de ser reportero o literato —que estrictamente deberían entenderse como palabras sinónimas—. Reportero reportero, como exigen las urgencias de un diario: lanzado a entrevistar al inconseguible, hábil para ir más allá de la cajonera, pregunta —"¿cómo se siente, campeón?"— y para entrometerse en las entretelas por donde se asoman los intríngulis de la política del deporte. Simpático con sus entrevistados, confiable, seguro e incisivo, Paco no sólo se hablaba de tú con los figurones —ahora eso lo presume cualquier imprudente—, sino que en variadas ocasiones —soy testigo— se ganaba, junto con la confianza del deportista, el lugar de consejero, de amigo, de colega.

Era también literato en el sentido de escribir lo que se dice bien. Luchaba con las palabras, como cualquiera, pero sabía manejarlas con un estilo que no eludía metáforas, ni giros, ni dichos populares o tecnicismos de quien conoce bien las reglas complicadas de cada juego en particular. Su formación sociológica lo ayudaba a entender los problemas de conjunto. En un país donde sólo por excepción se alcanza el éxito colectivo, el periodista Ponce sabía entender las causas derivadas de nuestra infame política, de nuestra nula proyección hacia el futuro, de la

12

tonta demagogia con que los dueños del deporte hecho negocio engañan a este público sediento de victorias que a cuentagotas llegan, si es que llegan. Él no se entusiasmaba ingenuamente con los posibles éxitos de nuestra selección de fut, con la posible gloria de los nuestros en una Copa Davis, con augurios felices en los Juegos Olímpicos. Me le acercaba a veces, muchas veces, buscando en el experto una promesa para el ánimo, y todavía lo veo reír y sonreír poniéndome de frente a la cruel realidad. No sueñes —explicaba—. No vamos a llegar a cuartos de final, no vamos a ganar esa medalla de oro, no vamos a lograr el dos a cero. Y es por esto y por esto —se tocaba los dedos—: imposible. Y largaba sus rollos sociológicos como martillos que nos clavaban a la verdad monda y lironda del frustrado y frustrante deporte mexicano.

Conocí bien a Paco Ponce en los años 70 cuando le hablé para *Revista de revistas*. Fue un puntal en aquel semanario del *Excélsior* de Julio. Paco estaba en su mejor momento y en la revista hizo de su tema algo mucho más que una simple cobertura deportiva. Sus entrevistas de entonces, los reportajes que de continuo me propuso como tarea común significaron eso que se extraña siempre en las páginas dedicadas al deporte. Un análisis, sí, con su mirada sociológica, pero a partir necesariamente de la investigación periodística. Teñidos de sentido, de importancia y de fibra, los trabajos de Paco dibujaron

13

de urgencia los problemas profundos del deporte. Él insistió, machacón como era, en mirar el asunto de raíz: en la necesidad de despertar al niño a ese juego que hace crecer y enderezar propósitos: en atender de veras al amateur y preparar generaciones como base de una política deportiva nacional. Lo entendía y lo atendía con obsesión, sin descuidar para nada el fenómeno de nuestras grandes figuras. Atento al box, a la fecunda emigración de beisbolistas que invadían poco a poco las Ligas Mayores, Paco asistió al surgimiento —por poner un ejemplo— del fenómeno llamado Fernando Valenzuela y habló con él cien veces, lo entrevistó, lo urgió a decir lo que el país pedía.

Ya estábamos entonces en *Proceso*, a donde recaló desde el principio, fiel como tantos a la causa. Ahí en su "Marcador", cada semana, puso a pensar a todos e insistió gota a gota en la mentada formación de atletas. Hizo del periodismo un arma del que piensa y del que busca, una manera de palpar la vida mirándola de cerca.

En esos largos años en *Proceso* a cada rato hablábamos de libros. Él debería escribir —lo urgía yo con ansiedad— la historia de tantísimas figuras que conoció. Me parecía un modo de culminar esa larga carrera en el deporte. Nunca la vio de lado, ni pensó, como muchos colegas, que el reportear deportes desmereciera su entrega personal a esta gran profesión. No creyó como otros que la fuente deportiva fuera sólo un escalón para arribar a metas consagradas: digamos la política, la economía, el arte. Desde muy joven supo que el deporte, como especialización, podía tener y tiene la misma dignidad que cualquier otro tema. Pero para eso hay que tratarlo con esa dignidad. Y así lo hizo. Y así acumuló en su envidiable archivo, en su continua puesta al día a través de revistas especiales, una información que servía desde luego para fundamentar el reportaje inmediato, pero que cabía mejor en libros periodísticos.

Planeamos muchos, de palabra. El de Fernando Valenzuela, el de Hugo Sánchez, el de Julio César Chávez... Este último cuajó al final de cuentas y es el que está presente aquí en estas páginas. La formidable historia de un boxeador sin duda formidable. Su origen, sus batallas, sus duelos en el ring. Sus triunfos, sus amigos, sus malas compañías. Escándalos y pleitos fuera del encordado. Un reportaje —libro escrito con esa solidez de quien ha investigado y ha reunido en apretadas páginas la información del ídolo.

Este libro sobre Julio César Chávez ha resultado póstumo —Francisco Ponce se adelantó unos metros en la carrera maratónica—, pero su existencia mantiene viva la llama olímpica de quienes fuimos sus colegas, sus lectores, sus amigos. ¡Medalla de oro, Paco!

Vicente Leñero

15

Preámbulo

Los románticos definieron el boxeo como el arte del ataque y la defensa; hoy se conceptúa como "la ciencia amarga".

Sin embargo, como pocos entretenimientos, éste proporciona al espectador estados inimaginables de excitación. Por ello, el boxeo —fundamental entre los griegos durante los Juegos Olímpicos, junto con el atletismo y la lucha— ocupa en la actualidad una situación privilegiada. Técnicamente se trata de un deporte de contacto en su forma más sencilla. Es una batalla individual que pone a prueba el coraje, la destreza y la potencialidad de dos rivales.

Cada época cuenta con sus ídolos en el *ring*.

Cambian los estilos en el encordado, y los nuevos rostros conquistan el clamor popular; reviven la controversia entre las multitudes.

Desde luego, los estilos giran en torno al *nocaut*, o a la depurada esgrima con ganchos al hígado, *uppercuts*, rectos y hasta volados en momentos de desesperación.

Nat Fleischer, periodista que en sus inicios en la profesión escribió una historia sobre el hundimiento del *Titanic*, y después editor de la revista boxística más prestigiada, *The Ring*, explica a su manera parte del fenómeno:

—Hay romance en el boxeo, un glamour espectacular en el desfile de peleas a través de los años.

Sus palabras nos recuerdan la violencia explosiva de Jack Dempsey.

Son, pues, las crónicas de interés humano las que han convertido al boxeo en una caravana sideral, cuya tripulación se atreve a recorrer el espacio en busca de un asteroide desde el cual pueda ofrecer uno de los espectáculos más extraños en el deporte: prepararse físicamente para luego enfrentarse al rival en una batalla de dolor, alegría o desilusión... y aun la muerte.

Porque así es el grito generalizado en los barrios bajos: muchos jóvenes, sin dinero y sobrecogidos por el caos cotidiano, por las angustias socioeconómicas, por el abandono de los niños en las coladeras o la aspiración de "cemento", se empeñan en salir de la aventura selvática de esta pseudoexistencia. Sin embargo, ingresan al círculo vicioso de la otra forma salvaje, "organizada" y "remunerada" de vivir: el boxeo, que representa la vida y su circunstancia; pretensión de una catarsis que libera de los males de la Caja de Pandora. Y, ¡ah!, como lo apunta Charles Darwin, el proceso es la selección natural.

Gana el que sobrevive y puede irla pasando entre la miseria diaria. Este sobreviviente debe enfrentar la gran aventura: el mundo envuelto en un puño que busca el nocaut mientras la mano izquierda está lista para infligir los latigazos contra el hígado, los que cercenan poco a poco la fortaleza del rival.

Esto es, quizá, lo que se denomina el romance, el glamour del boxeo.

Los combatientes llegan hasta donde sus puños y su empeño en el entrenamiento lo permitan. Total: hay que jugársela aunque termine lastimado el cerebro; es necesario buscar con toda intensidad la posesión de un cinturón que podría estar adornado con zafiros, turquesas o diamantes.

Desde luego, el romance cobija con una cortina de terciopelo el encaje de la violencia.

Los otros románticos, los apasionados por uno de los conceptos más impertinentes, pero reales, aplauden la violencia en el ring como posibilidad de trascendencia de los pobres.

Y hasta le confieren cierta profundidad, porque el asunto es muy serio...

José Sulaimán, presidente del Consejo Mundial de Boxeo (CMB), recalca todos los días, sobre todo a partir de que la Newport University de California le otorgó un doctorado *Honoris Causa* en Humanidades:

> "Este deporte es una de las pocas posibilidades de los jóvenes para salir del atolladero social que padecen. El boxeo les representa una gran opción, aunque en ocasiones a un costo inimaginablemente elevado".

Es un deporte hecho para los pobres.

Raramente algún loco enamorado de la fantasía cósmica, egresado de alguna universidad, ha elegido la aventura del pugilismo. Y cuando lo practica, lo hace como pasatiempo.

Me decía don Leopoldo Gutiérrez, "Polito" —un periodista que me prodigó invaluables orientaciones—, que quien se mete a un entarimado lo hace por hambre. Porque darse de puñetazos en el ring le puede generar, al menos, una paga efímera que alcanza para mediocomer uno que otro bolillo o un kilo de tortillas, frijolitos, de repente carnita de puerco, o en su defecto unas latas de sardinas, huevos *a huevo* y, claro, arroz y sopita de fideo. Así, la familia más o menos ya comió[1].

Y de vuelta al gimnasio, porque con su triunfo, a lo mejor el mánager lo cuela en otra función de 4 *rounds*... y que Dios lo libre de no sufrir una herida que le impida pelear un mes, porque el boxeador tiene que darle su 30 por ciento al mánager y sudar y sudar en los gimnasios hediondos, como un sacrificio del cuerpo y las ilusiones.

La realidad es que la mayoría de quienes prueban fortuna en el boxeo está condenada a un futuro incierto. Entran a este mundo porque es una de las pocas opciones que tienen de alcanzar prestigio social. Sin dinero, sólo con los puños o la ley del más fuerte pueden eludir el anonimato.

Esa lucha al menos les otorga la ilusión de que habrá cambio; lo que no sucede a quienes "limpian" parabrisas con sucios mechudos en las esquinas de la gran capital, o a los lastimeros payasitos desempleados. Sí, esos que hasta se enojan porque el molesto y forzado cliente les niega una moneda.

Desde luego, para obtener peleadores eficaces hace falta contar con excelentes entrenadores y mánagers, médicos especialistas en medicina deportiva y dietistas, sociólogos y psicólogos, así como con gimnasios limpios y bien ventilados, no como los que abundan en todo el país, agujeros malolientes con paredes, pisos y techos deteriorados.

Y aun así, cada día se producen buenos pugilistas de paga en México. Los olímpicos semejan una especie en extinción, gracias a los pocos alicientes de la dirigencia para solucionar sus problemas socioeconómicos. Prefieren arriesgarse en el mundo del dinero.

La honrosa competitividad en este y en otros deportes —caminata, clavados, béisbol, fútbol, básquetbol...— desmiente esa mitomanía de los intelectuales, cuyas lenguas incendiarias acusan a los competidores de formar parte de un país integrado por derrotados.

Se exige el éxito o se condena el fracaso como si los atletas mexicanos fueran los únicos seres en la galaxia, y por ello estuviesen obligados a ganar.

En una ocasión pregunté a mi hijo Roberto qué le había pasado a su equipo —un excelente grupo de primaria del Colegio Madrid—, por qué habían perdido.

Su respuesta fue lógica y contundente:

—¿Tú crees que los otros no saben jugar?

Por supuesto, se trata de una lección que ayuda a entender que el deporte es sólo una pequeña parte en el mundo de las satisfacciones sociales. Y que el triunfo no es sólo de quien lo procura, sino de quien lo alcanza.

En el esfuerzo cotidiano, la idea de la superación es un concepto universal, y hasta los atletas de los países pobres pueden triunfar en el ámbito internacional.

Ni Alemania, ni Estados Unidos, ni ningún otro país a pesar de su capacidad, son los reyes de la victoria. Por supuesto que no.

Pero en el boxeo queda clara una capacidad especial del mexicano, quien tiene que enfrentar retos bien complicados. Latinoamérica cuenta con pugilistas de superlujo y no se diga Filipinas, Japón y, desde luego, Cuba. Aun así los peleadores mexicanos han sido modelo, con las obvias excepciones.

A pesar del mapa económico desigual de nuestro planeta, hay muchísimos que sobreviven animados por la convicción y los deseos de salir de la miseria y alcanzar la gloria.

Óscar de la Hoya me dijo antes del combate contra Julio César Chávez por el título superligero del CMB en 1996, que cuando salía del vestidor hacia el cuadrilátero le daba miedo, incluso ganas de regresar de inmediato a los vestidores. Ya en el ring, estaba dispuesto a asumir la profesión para la que fue adiestrado: la batalla en el encordado.

Claro, también los guerreros, antes del combate, tienen miedo. Y por eso ganan. De la misma forma que los pilotos de Fórmula Uno, con esos autos que desarrollan velocidades aterradoras, como si quisieran llegar temprano a la repartición de curules en el infierno.

Esto no sucede sólo en el deporte, la competencia en la vida cotidiana es así: adrenalina que fluye como una paradójica inyección de miedo y valor, cuya resultante dialéctica es, en los deportes más estrictos, la victoria o la derrota. El empate está abolido en los términos de una definición absoluta.

Julio César Chávez (JC) me ha dicho que no tiene miedo, porque sabe de lo que es capaz. Afortunadamente llega al final de su carrera deportiva sin miedo, pero con problemas generados por su determinación —¿prepotencia?— de querer ganarlo todo.

Hablar de los peleadores mexicanos, de JC sobre todo, es muy oportuno porque se ha presentado una honda decadencia de los "mastodontes" —pesos completos—, quienes se han convertido en unos matalotes. Esta categoría se vino abajo poco antes de que el caníbal Mike Tyson —recién liberado de prisión por violar a Desiree Washington, "Miss Black America" (Señorita América Negra)— mordiera y le arrancara un pedazo de oreja a Evander Holyfield.

No hay figuras, no hay gladiadores de lujo... nada.

Alguien, seguramente para evitar pérdidas en el negocio, le cuchicheó al oído a Don King:

—Estos excluidos sociales, los chamacos de los pesos medianos y chicos, son los que dan ganancias para siempre; olvídate de Tyson y de otros, porque no ha habido un sustituto de Marciano o de Cassius Clay. Y mucho menos, de Joe Louis...

Entonces alguien le sugirió revisar la historia de los grandes peleadores en Cuba. Ya alguna vez el poeta nacional de la isla, Nicolás Guillén, recordó a "Kid Charol" la grandeza de "Kid Cocolate" —"El boxeo soy yo", dice el peleador en su biografía, parafraseando al rey francés Luis XIV cuando definió al Estado—, en la necrópolis de Colón, donde el negro fue sepultado:

> Usted tal vez no lo sepa. Ayudó a consolidar la nacionalidad cubana. Vencía sobre el ring, ponía el nombre de la patria bien en alto y la hacía conocer en todo el mundo; hablar de "Chocolate" era hablar de Cuba. No fue coincidencia que por esa época, cuando usted impuso su calidad entre las cuerdas, Ignacio Piñeiro componía *Suavecito*; Aniceto Díaz, *Rompiendo la rutina*; Boti escribía *Kodak-ensueño*; Navarro Luna, *Pulso y Onda*; y yo, *Motivos del Son y Sóngoro Cosongo*...

Claro, sin olvidar a Horta, Douglas, Jorgito, el "señorito" Garbey, y las piernas de "Orlandito". Y todo esto cuando el denominado machadato estaba en el poder —escribirían Elio Menéndez y Víctor Joaquín Ortega—, finales de los 20 y la década de los 30, contemporáneos del *Crack* del 29, de la mafia y otras peculiaridades; se dieron así algunas bárbaras incoherencias, pues hubo un surgimiento sociocultural del deporte, así como de uno de los magistrales representantes del juego-ciencia, reconocido entre los más connotados ajedrecistas, el maestro Capablanca.

De igual manera en México, según nos cuentan nuestros padres o nuestros jóvenes abuelos, del espacio y tragedias nacionales surgieron también los grandes hombres del espectáculo.

La historia ha escrito alguna que otra página de Rodolfo "Chango" Casanova, uno de los peores monstruos que perdió la felicidad: terminó en el manicomio porque cayó en la fantasía. Jamás entendió que para ser amo del cuadrilátero la pelea debía desarrollarse en el ring, y nunca fuera de ese espacio, mucho menos contra él mismo; aunque venciera en ciertas funciones a un tipo de mayor peso, como "Kid Azteca", éste llegó a ser un protagonista de mayor importancia.

Luis Villanueva Páramo, conocido como "Kid Azteca", nació el 13 de junio de 1913. Fue el último de los apodados *kids* en aquel México. Originalmente llamado "Kid Chino", este boxeador vistió a Tepito como metáfora de la cuna de los mejores peleadores de la época... y muchas posteriores. Sus detractores consideraron este barrio cuna de los bribones más atrevidos de la ciudad, de la cual sólo podrían emerger pugilistas, porque era la única manera de adquirir estatus entre la palomilla. Ahora han proliferado otras colonias como la Buenos Aires, los Culhuacanes y tantas otras zonas de terror, de las que en lugar de pugilistas surgen delincuentes consuetudinarios.

En aquellos tiempos, cuando seguían sangrando las heridas del movimiento revolucionario y cuando las dos conflagraciones mundiales tiñeron de rojo muchos países, las familias mexicanas insistían en la inquebrantable costumbre de ser numerosas —los Villanueva fueron quince hermanos—, mientras la comunidad buscaba reestructurar, poco a poco y lentamente, el equilibrio socioeconómico y político en la vida por venir.

Allí mismo, en Tepito, nació un pequeño pero vivaz chamaco. Le apodaron "El Ratón", y llegó a convertirse en un verdadero superratón, un ratonzote. Fue quien evitó el laberinto de los muchachos maloras y se instaló, con ganchos al hígado, un mánager y la virgencita de Guadalupe en su corazón, en la historia de ese reducido aunque espléndido y tormentoso espacio de la vida: el ring.

Y ahí estaba Raúl Macías, a quien se le sigue recordando por aquella noche del 26 de septiembre de 1954, rodeado de 55 mil espectadores en la tribuna, y nadie sabe cuántos más afuera de la Plaza México. Aquella noche en que miles de aficionados, con los oídos pegados a los aparatos de radio, se enteraron de su espléndido triunfo sobre el moreno Nate Brooks en 12 asaltos, para conquistar el título gallo de Norteamérica.

Nunca, en su propio barrio, le habrían brindado ese reconocimiento que le dedicó, con vocación de amor, toda la nación. Y sólo por haber trascendido en el pugilismo.

—Y éste es el danzón que le gustó al "Ratón"...

"¡Ah, qué tiempos señor don Simón!..."

Se pensaba en aquel entonces que la victoria debería bordarse a mano para recrearse en un futuro más promisorio —o menos ingrato—, y coronar así los esfuerzos para construir la utopía de una grande y maravillosa familia.

Recién concluida la Segunda Guerra Mundial, la gente se fue percatando de que la verdadera guerra se libra en el barrio, en la propia casa. Y luego se traslada al cuadrilátero, pero con otro espíritu.

"El Ratón" le dedicó —y le dedica— profunda devoción a la Guadalupana. Los rezos a la Virgen son un recurso socorrido de quienes intentan el triunfo a toda costa, aunque no siempre sea posible.

También hemos sido testigos de los actos fallidos cometidos por el zacatecano de Chalchihuites, Ricardo "Pajarito" Moreno, José el "Toluco" López, y hasta el célebremente triste de Reynosa, Tamaulipas, aquel bonito del ring con puños de acero y mentalidad inmadura, parecido su rostro al de Elvis Presley, conocido como el "Battling" Torres.

Estos peleadores marcaron el inicio de una obra que Don King estima llegó a su clímax con Julio César Chávez, motivo de esta crónica.

1. Leones de corazón

Mucho se ha hablado acerca de la gran calidad de los peleadores mexicanos a lo largo de la existencia del boxeo.

Se les considera verdaderos gladiadores del ring pues son valientes, diestros de pies y manos, y reconocidos en todo el mundo.

La historia es el mejor testigo: más de 50 títulos mundiales y 11 medallas olímpicas. En julio de 1998, ocho mexicanos estaban encumbrados en las listas de los diversos organismos[2].

Sin embargo, como es habitual en el deporte mexicano, pocos estudios e investigaciones se han dedicado a explicar esta trascendente cualidad de los pugilistas nacionales.

Suele decirse que quien se dedica al boxeo lo hace por hambre. En este sentido, algunos sarcásticos llegan a pensar: ¿quién, de no tener hambre, se atrevería a meterse al boxeo?

O de otra manera: ¿cuántos muchachos de raquítica condición socioeconómica aspirarían a una actividad legítima en la que pudieran competir sin desventajas contra jóvenes de su mismo estrato?

En todo el mundo el boxeo representa una opción ante tan pocas oportunidades de éxito.

No en todo el planeta se dan peleadores tan sobresalientes como en México.

Se trata, finalmente, de una lucha que lleva al triunfo o fracaso dentro de un entarimado encordado bañado por la luz de las lámparas eléctricas, nunca por la de las veladoras que encienden los gladiadores.

No hay explicación milagrosa en esta actividad de intrépidos que arriesgan vida y salud ante la ilusión, más que de lograr la fama, de ganar el dinero que permita disfrutar de una situación económica tranquilizadora.

"Un poco para los frijoles, cuando menos, ¿no?", diría "El Ratón" Raúl Macías.

Cientos de pugilistas mexicanos, de una forma u otra, han bailoteado sobre las listas internacionales de clasificación, con lo cual han revestido de clase a nuestro boxeo.

¿Por qué los mexicanos en especial?

Don King, el promotor más exitoso en la historia del boxeo mundial y poseedor del contrato de Julio César Chávez, tiene una respuesta.

Un primer esbozo fue trazado en la conferencia de prensa anterior a la pelea de Julio contra Greg Haugen en el estadio Azteca, en 1993.

Su idea quedó plasmada más adelante en un video[3], bajo la producción ejecutiva del mismo King, y producido y dirigido por José Martín Sulaimán, hijo de don José Sulaimán, presidente del Consejo Mundial de Boxeo. Su propósito era capturar una huella indeleble del que es considerado el mejor peleador mexicano de todos los tiempos: JC Chávez.

En el video, Don King camina de frente hacia la cámara, vestido con camisa amarilla y pantalón azul marino. Detrás, se miran un espléndido cielo azul y bellísimas milpas.

Habla con vehemencia y en su especial manera de expresarse:

Siempre me he preguntado qué hay detrás del coraje, del corazón de león, de la actitud temeraria del boxeador mexicano, sea campeón, principiante o combatiente de 4 rounds. Ellos acaparan el corazón de los fanáticos de todo el mundo, precisamente por su valentía y su actitud, como ninguno de otra nacionalidad.

Comienza una semblanza de imágenes de la historia de México.

Es cuando este promotor afroamericano —sus pelos parados pretenden representar una corona acorde con su apellido de rey (King)— intenta realizar una aproximación de la historia y el boxeo nacionales, para culminar con la gran herencia llamada Julio César Chávez.

Dice en su monólogo explicativo:

> Me da gusto pensar en la grandeza de México, en la historia de esta gran nación, de la que personalmente soy profundo admirador.

Recuerda, porque lo ha leído o se lo ha investigado su jefa de relaciones públicas, Gladys M. Rosa, que mil años antes de Cristo nace Mesoamérica, con los olmecas.

Prosigue:

> La historia de esta gran nación comienza a crecer. México avanza.
>
> Desde aquellos valientes e indomables guerreros, los inmortales aztecas, se generó una historia de gladiadores. Vino la conquista de México por los españoles, pero surge la heroica Guerra de Independencia con dos de sus mejores caudillos: don Miguel Hidalgo y don José María Morelos.

Pero a King no le basta:

Sí, el águila voló hasta la Revolución, con Pancho Villa, Emiliano Zapata y demás héroes, quienes, junto con el pueblo, liberaron a México.

Con escenas de fondo sobre esos acontecimientos, agrega:

Me da gusto pensar en los momentos trascendentes que han ocurrido en este gran país. Porque la historia de México es una de las más interesantes, grandiosas y fascinantes que he encontrado.

Una vez retomadas esas ideas, regresa al tema del boxeo y determina la potencialidad de los pugilistas mexicanos:

La gloria, la dignidad, el orgullo de los boxeadores que suben al ring universal llevan esa gran historia como estandarte. El mexicano viene a pelear, y la gran águila vuela para capturar nostálgicamente la gloria de antaño.

Desde luego, también comienzan a surgir varios de los nombres que han hecho del boxeo mexicano un emporio de dignidad deportiva.

La retrospectiva de King parte de la figura de Raúl Macías —el "Ratoncito", le dice—, sigue con Rubén

Olivares "El Púas", Carlos Zárate, Lupe Pintor, Salvador Sánchez "y muchos otros que han llevado en sus manos el orgullo de su país".

Lamentablemente, ni en el video ni en ninguna de sus intervenciones en conferencias de prensa cita la importancia de aquellos constructores de un pasado quizá ignorado por las nuevas generaciones.

Ausentes en las palabras de King están, por ejemplo, personajes del tamaño del "Babe" Arizmendi, nacido en Torreón, Coahuila, el 17 de marzo de 1914.

Este gran combatiente, apodado también "El Generalito", fue uno de los primeros mexicanos en intentar la hazaña de alcanzar una corona mundial.

El 30 de agosto de 1934, "Babe" Arizmendi venció en 15 asaltos al italoamericano Mike Belloise, campeón olímpico en 1931, con lo que conquistó el campeonato pluma de la Comisión de Box de Nueva York.

En esa época, ésa era la principal organización, como lo es ahora el Consejo Mundial de Boxeo, transnacional que decide las reglas del juego: quiénes son los retadores, a quiénes van a proyectar para campeones, quiénes merecen las coronas, quiénes son los protegidos y, por supuesto, a quiénes es preciso olvidar.

Desde luego, otros mexicanos de gran calidad decidieron subir al ring y jugársela; porque se habían cansado de estarse "madreando" todos los días, además de acudir a las fiestas del vecindario, de pasársela con los cuates, para llegar a ningún lado.

Así comenzaron a surgir los héroes y antihéroes del barrio bravo.

Entonces Don King entra en materia:

> Orgullo, dignidad, espíritu invencible, valor son las virtudes de las que está hecho Julio César Chávez.

Por aquellos días (mediados de 1993), Chávez estaba invicto con guarismos de 87-0.

El promotor anuncia que la historia de un joven de Culiacán, nacido en el seno de una familia humilde, pero que ha alcanzado la gloria y el cariño de todos, "está a punto de descubrirse frente a ustedes".

King concluye:

> Acompáñenme sobre las alas del águila y compartan conmigo este momento histórico.

JC camina entre las vías del tren, de la mano de sus hijos Julio y Omar. Los anima a que, acercando sus oídos a las vías, escuchen —huellas del pasado, según él— parte de los logros de algunos personajes de la historia de México. En la pantalla, imágenes reales de la Revolución Mexicana y, como fondo, la música de *La Adelita*.

JC habla de aquellos luchadores.

—Como usted —le indica Omar.

Responde el campeón:

—No, esas peleas eran más importantes que las mías.

Habiendo escuchado a los héroes revolucionarios, Omar le pregunta:

—Oye papá, ¿eran fantasmas...?

Y JC responde:

—Óiganme, eran un espíritu de lucha, espíritu de fuerza, espíritu del triunfo. Son lo que llamaríamos los espíritus de México. Vengan, síganme.

2. En el tren de la ausencia...

Julio César Chávez nació en Ciudad Obregón, Sonora, el 12 de julio de 1962, y fue registrado en Cócori. La gente asegura que su alumbramiento ocurrió en un vagón de ferrocarril. Como su padre fue ferrocarrilero, la familia, integrada por once hermanos, era muy pobre, vivían en un vagón abandonado.

Agregan que estando en el vientre de su madre, JC rompió la fuente de una patada o un puñetazo.

—Seguro va a ser futbolista... o boxeador —sentenciaron todos, incluso la comadrona que ayudó en el parto.

En efecto, el chamaco se decidió por el cuadrilátero, animado por sus hermanos que ya desde entonces andaban en esas danzas.

Como uno de tantos excluidos del barrio, Chávez vendió periódicos, lavó coches y tuvo que ser *milusos*. También es preciso reconocer que en ese ir y venir por la ciudad, caminando, corriendo de arriba abajo, tuvo momentos hasta para jugar beisbol y futbol.

Pero su futuro como boxeador estaba definitivamente previsto. ¿En su microcosmos genético? Quizá. Y con virtudes sobresalientes.

El mismo JC comenta:

—Pinche box. Se te mete en la sangre.

Abunda:

—Por eso los peleadores se retiran y en la primera oportunidad regresan o se convierten en mánagers.

Alejarse, en definitiva, es muy difícil. Tanto, que muchachos que fueron peleadores deambulan por los gimnasios y las calles hablando solos, convertidos en seres prácticamente descalificados para la vida productiva.

Tal vez porque su ansia los lleva más lejos de sus posibilidades o porque desperdiciaron los amables consejos de su conciencia.

O bien porque, como han sido verdaderas joyas del encordado, sienten que la fuente de la juventud o su capacidad de combate serán eternas.

Consideremos al "Mano de Piedra" Durán o al mismo Lupe Pintor, que han vuelto en su época otoñal.

Pero rememoremos: el principio siempre es duro, muy duro.

El mismo JC, en su primer combate amateur a 3 rounds, sintió tanta fatiga que al terminar no quería pisar de nuevo un ring.

En una plática con Armando Zenteno[4], JC le confesó:

> En esa ocasión vine por primera vez a la capital. Como representante de Sinaloa tenía mucha fe en mí, pues supuestamente era seguro ganador de medalla, porque acababa de coronarme campeón de los guantes de oro en Culiacán. Todo sucedió al revés, ya que perdí en mi primera pelea.

Su rival fue Diego Ávila.

Como suele ocurrir ante la derrota, siempre existen justificaciones y hasta se incurre en pérdida de la realidad.

Sigue JC:

> En todos los torneos de carácter amateur de aquel entonces se ayudaba a los peleadores capitalinos para que representaran a México en competencias internacionales. La derrota me dolió y ya no quise seguir como amateur.

Seguramente JC no había recibido asesoría adecuada para subir a un ring con las reglas del amateurismo, que son distintas de las profesionales. Por ello, debido a que su mánager y él mismo ignoraban dichas normas, pensó que lo habían "robado".

Y es que los profesionales están acostumbrados, en parte, a desarrollar una técnica más o menos pulcra, sin el remolino del peleador amateur, aunque al final, salvo excepciones notables, la pelea se define bajo las circunstancias del callejón sin salida.

Cuando JC tenía tres años de edad, la familia se mudó primero a Mazatlán y luego a Culiacán, donde el campeón echó raíces.

Cuando fue grande, ahí tuvo un mundo de seguidores: parientes, amigos, periodistas, invitados y, desde luego, su séquito. Todo un torbellino.

Su mamá, doña Isabel González[5], es una bella dama morena clara, cabello castaño oscuro, delgada, 1.65 de estatura, finos modales, voz dulce, educada, apacible, miembro del Patronato de Fomento de la Universidad de Oriente.

Es ella quien nos comienza a narrar la historia familiar:

> Nuestros antecedentes son buenos. Mi papá, Alfredo O. González, mayor y diputado por Sinaloa, fue el primer presidente del Partido Nacional Revolucionario aquí. Mi mamá era Gertrudis Pineda, princesa del grupo indígena seri.

Retoma el tema de su padre:

Llegó a ser presidente de la Cámara de Diputados, durante el periodo del coronel Rodolfo Teodoro Loaiza. Entonces comienzan los antecedentes de mi hijo, en lo de su filiación política al PRI.

También nos cuenta que Julio César siempre apoyó a Carlos Salinas de Gortari cuando era precandidato priísta, y que éste los visitaba.

—Venía aquí a la casa —recuerda la señora.

Precisamente en esa casa de dos pisos y muchos recovecos por ampliaciones, ubicada en la avenida Emiliano Zapata en Culiacán, doña Isabel y el mismo Salinas de Gortari vieron por televisión el triunfo de JC sobre Edwin Rosario el 12 de diciembre de 1987.

Para esas fechas, Chávez era ya una figura internacional.

Pero como todo en la vida del hombre, nada es gratis.

Nostálgica, pero alegre siempre, doña Isabel nos habla de su esposo, "El Güero" Rodolfo Chávez Lizárraga, quien se inició como chícharo en los Ferrocarriles del Pacífico. Ella, la dama; él, nunca un plebeyo, sino un escrupuloso trabajador de los ferrocarriles. Si persiste el criterio de las diferencias sociales, el amor es el único antídoto capaz de apaciguarlo.

—Era un hombre tenazmente dedicado a su trabajo, responsable como pocos —comenta doña Isabel.

Por desgracía para don Rodolfo, como para otros muchos ferrocarrileros, en 1956 las máquinas "diesel" los pasaron a amolar. Las jubilaciones ocurrieron a granel.

No importaba a nadie el accidente de don Rodolfo —al cual sobrevivió— cuando cayó de un tren en movimiento, ni otros aconteceres que le pudieron causar la muerte por su altruismo y romanticismo como ferrocarrilero.

En 1992 padeció el que hasta ahora es su último percance, al caer de la escalera de su casa y golpearse la cabeza.

Ahora vive solo... y no.

"Mi viejito" se expresa de él con ternura doña Isabel. Ella ordenó un cuarto especial para don Rodolfo, donde se la pasa viendo la tele y recordando el espléndido pasado del que se siente orgulloso.

Ahora, nos cuenta doña Isabel, no sólo su hija Lilia Guadalupe —Perlita la llaman— lo consuela con cariño y atenciones, sino también el resto de la familia cuando hablan con él sobre sus extraordinarias historias.

De esos once hermanos, otro accidente afectó la vida de los Chávez González: Omar murió atropellado, con lo que se redujo la fraternidad a tres mujeres —guapísimas— y siete hombres. JC es el cuarto de la dinastía; Rodolfo, el hermano mayor, y Christian el menor.

Doña Isabel suspira al recordar a Omar:

—Ahora tendría 26 años...

En memoria de su hermano, JC le puso ese nombre a su segundo hijo.

Por supuesto, la descendencia de los hermanos casados va en aumento; han nacido más de 10 niños y seis niñas. Como es costumbre, todos van de visita a casa de la abuela.

Hasta 1993 Julio César seguía viviendo en su vieja casa de la colonia Morelos de Culiacán, con Amalia, su esposa, y sus tres pequeños: Julio César, Omar Alonso y Christian.

Pero, claro, en torno de un gran campeón, existe además un equipo denominado séquito.

Pues como en las películas medievales, en las épocas romanas o en las parodias de políticos mexicanos, el protagonista —llámese líder, pretor, presidente o deportista connotado—, siempre está asediado. Nunca faltan los hombres-rémora, casi iguales a los pececillos que acompañan a los tiburones. Un grupo de diez, quince o veinte personas, según lo determine Chávez, lo acompaña a diversos eventos.

Destacan sus hermanos Miko y Ariel, su primo Héctor, su cuñado Rodolfo, y ese viejo amigo de la palomilla que era entre secretario y otras cosas, y a quien le pusieron "La Loncha", nombre de un perro que tuviera la familia Chávez.

—Total, ¿cómo ve...? Así es la raza —se conforma este simpático y amable amigo de JC quien, por cierto, ya no forma parte activa del clan.

—¿Sin guaruras, Julio?

—No los necesito, gracias a Dios —responde orgulloso.

Asegura que sólo cuenta con la protección de familiares y amigos.

Sin embargo, las autoridades también lo protegen. De día y de noche, dos o más judiciales custodian la casa de "El Cacho", como llaman sus allegados a JC.

Dentro de la casa, hay tres sirvientas, quienes apoyan a la esposa del campeón en el cuidado de los pequeños, el aseo de la casa y las tareas de la cocina.

Desde luego, Chávez carece de una vida familiar "normal", porque sus actividades rutinarias desde ningún punto de vista son "normales".

Viajes, hoteles, admiradoras y admiradores, desfiles cotidianos de visitantes en casa, fotografías con políticos —y hasta con involucrados en el narconegocio—, tragos, chavas y parrandas...

Más o menos resignado, declara:

—¿Qué hago? Quería ser campeón... ¿no?

Son los precios o las facturas a pagar por haberse convertido en una figura tan popular.

Tiene poco tiempo con la familia, poco para ver el mar desde su casa en la playa con tranquilidad, pero con mucho espacio en su mente para desterrar la idea del retiro.

Grave.

Sin embargo, lo asume con toda franqueza:

—Así es mi vida.

Y le rasca, desde luego.

Su hermano Roberto intentó ser peleador. No obstante, carecía de la capacidad de JC y desafortunadamente, cuando boxeaba, la raza lo incriminaba, pues pensaba que las peleas que ganaba se las había comprado su hermano, el famoso, el campeón.

JC decidió retirarlo.

Comprendió, desde luego, que él era un hombre que no había despertado sospechas en la historia del boxeo mexicano.

¿Un ídolo?

Hasta entonces, todavía no.

Ni el "Toluco" López, ni el "Ratón" Macías, ni el "Púas" Olivares le permitirían ese privilegio.

Bueno, ni siquiera el efímero Ricardo "Pajarito" Moreno.

Privilegio, por cierto, que no pueden otorgarle el Consejo Mundial de Boxeo —aunque lo ha considerado el mejor peleador del mundo kilo por kilo—, ni un decreto presidencial ni tampoco, por supuesto, una dispensa religiosa.

El ídolo, en todos los países del mundo, lo construye el pueblo.

Opina Julio César:

—Cuando peleo, me ven en más de cien países... Creo que soy famoso. Soy el deportista mexicano que más conocen en el mundo.

Y a pesar de algunas informaciones publicadas en la prensa nacional, cuando pretendieron compararlo con Hugo Sánchez, señaló:

—A Hugo sólo lo conocen en España y en México. A mí, cuando peleo, me ven en ciento treinta y cuatro países, sí, ciento treinta y cuatro países...

Hugo ahora es comentarista de televisión y fue entrenador de los "Pumas".

En su momento, Jorge Campos surgió con el carisma necesario, pero no dio un paso más allá de los futboles de México y Estados Unidos, aunque llegó a participar con la selección Resto del Mundo. Por desgracia, otro aspirante a la idolatría en el balompié, "El Matador" Luis Hernández, llegó un tanto tarde al escenario internacional —discriminado en el Boca Juniors—, al parecer sin haber impactado a los europeos a pesar de estar entre los principales goleadores del Mundial francés[6].

Julio César, cuando era muy joven, se enamoró de Amalia Carrasco, su novia y luego esposa, pero ese matrimonio se convirtió prácticamente en un infierno.

En 1992 Amalia me dijo:

—Yo lo "prendí" desde que tenía 14 años de edad.

JC tenía 17 y ya desde la secundaria andaban noviando.

Se conocieron en la playa El Tambor una Semana Santa. Y se casaron el 20 de septiembre de 1985, un año y medio después de vivir enamorados.

Nada o casi nada se comenta en la familia de que Julio César tuvo una hija fuera de su relación con Amalia. Se llama Karina Elizabeth, "Cachita", de 16 años de edad, de quien se decía que radicaba en Estados Unidos cuando tenía 11 . Ahora está integrada a su familia, con doña Isabel.

Alba Amalia Carrasco Garduño proviene, asimismo, de una familia numerosa: diez hermanos. Nació el 11 de julio de 1965 y, como JC, pertenece al signo zodiacal Cáncer. Cualquier especulador podría interpretar que los Cáncer no se llevan entre sí por su carácter posesivo.

Como JC es un personaje abierto al público, en octubre de 1993 se especuló que se divorciaría de Amalia.

Alarma, alármala de tos[7], pero nunca en los medios de comunicación:

—Bueno, pos si lo piensas, dímelo a mí primero y no a los periódicos... No seas gacho.

Entonces surge la pregunta:

—¿Viuda del box?

—Casi...

Agrega con su voz entrerroncada, muy sinaloense, por cierto:

—Sí... lo celo. Pero trato de comprenderlo. Sé que tiene muchas admiradoras. Debe de ser muy difícil andar en ese medio. Yo no lo soporto. Lo que me importa es cuando llega a casa y convivimos.

Amalia, como cualquier esposa de una figura famosa, rechaza toda circunstancia que pueda afectarles a ella y a sus hijos. La estabilidad familiar, vamos, era la parte central de su relación, hasta que las cosas llegaron a ser insostenibles.

Por ello —y porque sabe que le gustan Tatiana y Gloria Trevi—, Amalia se enfureció cuando "El Cacho" le comentó que iba a filmar una película.

Lo encaró:

—¡Ah!, eso sí que no, "Cacho". Nada más eso me faltaba: que anduvieras besuqueándote con todas las estrellitas...

La verdad es que Chávez quiere ahora ser empresario. Maneja bienes raíces, aunque no pudo cristalizar su idea de construir un hotel de gran lujo —se llamaría JC Caesar's—, y persiste en su afán por promover futuros campeones mundiales.

Formalmente, la primera vez que se puso unos guantes, relata el peleador, fue para intercambiar golpes con una niña, María del Pilar López, hermana de Juan Antonio, aspirante a peleador y amigo de Rodolfo Chávez. Todos iban al gimnasio Culiche, donde JC encontró su primer entrenador, Ramón Félix. Pero no peleaba en el gimnasio de este mánager, sino en la calle: ella, de catorce años y Julio de once. Generalmente ganaba ella, según cuenta el protagonista. Juan Antonio López relató a *Proceso*[8] que estaba tan emocionado por el boxeo, por

Julio César Chávez entrenando

JC ante un sparring

JC puliendo sus
puños con un costal

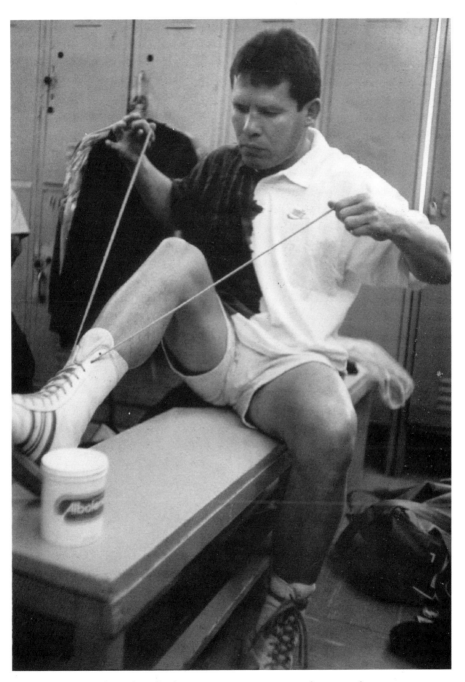

JC preparándose para un entrenamiento más

JC en una exhibición ante su público

JC contra Miguel Ángel González

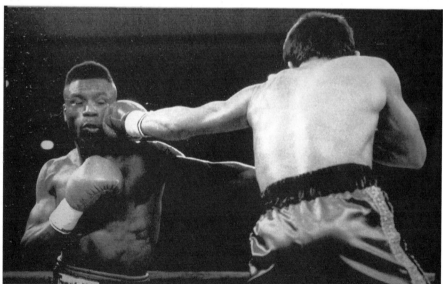

JC contra Pernell Whitaker

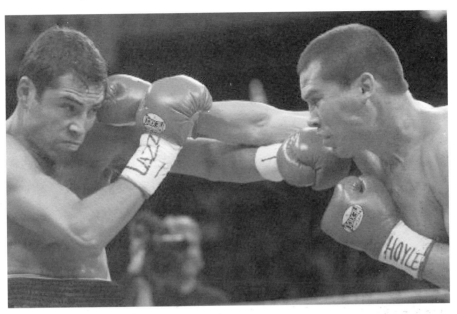

JC contra Óscar de la Hoya

JC contra Frankie Randall

JC contra "El Macho" Camacho

JC vence también a la báscula

La afición adora a su ídolo

JC en sus mejores momentos

JC contra Tszyu

JC se repone de los golpes de Tszyu

JC recibiendo indicaciones de su médico

JC en entrevista después de una operación en el codo

En una reunión con uno de los Arellano Félix

JC pasea como héroe en la ciudad de México

decirlo de alguna manera, que a su hermana no sólo le permitía subirse a un ring, sino que le buscaba contrincantes.

Recuerda Juan Antonio:

> Aquel combate fue un "peleón". El primero de una serie que sostuvo este muchacho en Culiacán. Luego, como todos, tuvo que ir "rancheando" para adquirir experiencia. Todo boxeador sabe que el sacrificio es indispensable. Lo que nadie sabe es si llegará a ser campeón del mundo. Yo me quedé con JC y fui su *sparring*.

Ya de forma oficial, JC se inició como pugilista profesional el 5 de febrero de 1980, cuando derrotó por nocaut a Andrés Félix en el sexto episodio. Ese año hilvanó diez triunfos consecutivos, porque el amateurismo nunca le llamó la atención.

Una tarde de 1987, en su casa de la colonia Morelos, JC abrió una vitrina-esquinero de la reducida y hasta modesta sala, donde exhibía los cinturones que había obtenido como monarca mundial.

Estaban valuados, entonces, me dijo, en unos 40 mil dólares cada uno. Los monarcas reciben un cinturón austero, con una placa de chapa de oro en el centro y cada quien lo adorna, según su bolsillo, con pequeños brillantes, rubíes y turquesas, como Julio César.

También tenía un reloj de oro estimado en 17 mil dólares.

Ni el propio pugilista sabe si tiene quince o más automóviles del año.

Su camioneta *Van* roja —a sus costados tres coronas pintadas en las puertas laterales y el letrero "JC Chávez"— significaba, de alguna manera, que es de los intocables de la localidad.

Ahora, transita en limosina, con o sin placas, o en alguno de sus costosísimos autos de colección.

En el verano del 87, me invitó a ver la obra de lo que sería una casa frente al mar (invitó también a José Sulaimán, presidente del CMB). Contrató a un guitarrista pobre, viejo, seguramente de los últimos bohemios puros del barrio, a quien siempre protegió. Ese señor nunca le quitó los dedos a la guitarra ni dejó de cantar lo que le solicitaba JC, desde la playa El Tambor hasta la tardeada antes de salir de la casa del monarca.

Para Chávez también la bohemia es parte de su vida.

—Me gusta —dice.

Tal vez sea herencia porque su mamá es hermana de uno de los integrantes del trío los Tres Ases—Héctor González—, en el que llegó a participar el excelente cantante vernáculo Marco Antonio Muñiz.

Bien, pero la farándula, ese ambiente tan particular, puede convertirse en algo sumamente peligroso para un deportista.

De veras.

Porque ha distraído tanto al peleador, que lo puede orillar a situaciones de tragedia económica y de salud, así como de desintegración familiar. Existen ejemplos lamentables, como los del "Toluco" López, Ricardo "El Pájarito" Moreno, "Mantequilla" Nápoles... y muchos, muchos más.

Sobre todo porque en la mayoría de casos, el barrio, y la idiosincrasia del importamadrismo cotidiano, acaban con la conciencia del deportista.

Muchos boxeadores carecen de la fuerza de voluntad para sobreponerse a los enemigos y a las adversidades que propician las malas compañías.

Amalia Carrasco está consciente de estos peligros que acechan desde que JC es pistola en el mundo de los encordados. Pero ella, como prudente esposa, pensaba en castillos en el viento:

—Quisiera que se retirara... que ya no lo golpearan.

Eso dicen todas las esposas de los boxeadores. Simplemente porque los quieren alejar de lo que consideran malas compañías y, por supuesto, agasajarse con ese campeón que "les pertenece".

Sin embargo, en la cúspide, las personalidades se convierten en moda del capitalismo. El dinero y la fama reflejan siempre la avaricia humana, más que en las películas hollywoodenses, en las que los pugilistas se disfrazaban con *smokings*, las mujeres con abrigos de pieles de mink y sortijas hasta en el cabello... una larga variedad de apariencias. Desde luego, Amalia Carrasco rechaza la circunstancia lujosa de su marido.

Ella estaba acostumbrada a permanecer en casa.

¿Ama de casa?

Sin voz cantante, esperaba paciente la orden de JC, quien prácticamente nunca eleva el tono de sus instrucciones: sus gestos —a veces un movimiento de sus ojos—, una leve indicación, voz queda, por lo general sin premuras... nada más.

Y se pone el sol, aunque sea de noche, porque Julio César lo decide.

Así han enseñado a actuar al campeón: macho probado, campeón inmaculado en su plenitud, señor de los señores, el César del Espectáculo...

Así es su vida.

Al menos la de estos prohombres del cuadrilátero, cuya fama y fortuna radican en el poder físico, el de las piernas y los puños, el de cerebros privilegiados para ganar la batalla.

Pensar, desde luego, es el atributo para que el boxeador alcance la trascendencia.

JC ha sabido capear los chubascos en su vida deportiva y familiar, a su manera.

Pero para ello, debe todavía superar serios problemas que arrastra desde hace no pocos años: el acecho del fantasma más peligroso, el de la desintegración social, el desamor.

Porque al "Cacho" lo han pretendido involucrar en este demoníaco círculo de calamidades. Que si estuvo rodeado de amigos narcos, que si se tomó la foto con mafiosos...

¡Qué difícil todo esto, "Mr. Nocaut"!

Siempre lo ha dicho Julio César, cuando nos comenta sin justificarse:

—Nunca he sido policía de mis amigos. Son mis amigos, nada más.

Lástima que la relación con ese tipo de gente le costó verse involucrado en una maquinada historia de narcotraficantes.

Necesitó mucho tiempo, y sufrió angustias seguramente, para desligarse de esas malas compañías.

3. Cero en conducta, Mr. Nocaut

Las malas compañías... han sido uno de los estigmas que persiguen constantemente a un pugilista. Y no son otra cosa que los amigotes que lo distraen del riguroso trabajo de entrenamiento y que usualmente lo conducen al deterioro de su imagen pública.

—Las malas compañías son las que te hacen daño —le decía su mamá.

Lástima que el mismo Julio César no ha sido capaz de eludirlas. Al menos no todas.

Por ello, su historia se convirtió, acumulando errores, en una vida salpicada de sospechas.

Lo relacionaron con narcos, página negra en su vida que culminó con el asesinato de su ex apoderado Ángel Gutiérrez, el 25 de mayo de 1993.

Chávez también se ha enfrentado al desprestigio de haber aceptado —bajo la presión de sus promotores— victorias conseguidas frente a supuestos peleadores-bulto, esos contratados para incrementar el récord del protagonista.

Cuando acribillaron a tiros en Cancún al citado ex apoderado de JC, José Sulaimán comentó:

> Chávez me hizo caso en su momento, y se retiró a tiempo de algunas, aunque no de todas esas amistades que sólo le trajeron dificultades en su carrera.

Presionado por Sulaimán —y por las circunstancias, desde luego— Julio César rompió relaciones con Ángel Gutiérrez, justo antes de involucrarse en lo que habría significado su deterioro moral como deportista, pues Gutiérrez estuvo siempre metido en líos de narcotraficantes.

Decía Sulaimán:

> Para una carrera deportiva impecable como la de Chávez, habría sido su tumba esa relación tan sospechosa.

En abril de 1987, antes de la octava defensa de su corona mundial pluma celebrada el día 7 en Nimes, Francia, ante el brasileño Francisco Da Cruz, Julio César pagó 50 millones de pesos a su mánager Ramón Félix para recuperar su contrato y nombrar como apoderado a Ángel Gutiérrez. Se encargaría de concertar los combates del monarca con el nuevo entrenador, Cristóbal Rosas.

Cuatro días después de ese combate, el 22 de abril, Chávez recibió un aviso: su hermano Roberto, de 15 años de edad, con ansias de peleador estelarista, fue maltratado en compañía de Luis Carrasco, también menor de edad y hermano de Amalia, esposa de Julio César. Los chamacos se quejaron de torturas por agentes de la Policía Judicial.

Los judiciales allanaron la casa del campeón y detuvieron a los menores por supuesta asociación delictuosa, robo y violación. Ambos fueron presionados física y psicológicamente para confesar los supuestos delitos cometidos.

Ante la gravedad del asunto, Julio César solicitó la intervención del entonces gobernador de Sinaloa, Francisco Labastida Ochoa. Gracias a sus gestiones se solucionó el problema. En aquel entonces, JC, furioso, exclamó:

—¡Carajo! Son unos abusivos: sabían que era mi casa y que se trataba de mis parientes... Además, son menores de edad y eso es un maldito abuso...

Y luego decidió no hacer más escándalo, porque la solución al conflicto estaba en camino: el gobernador le pidió que tuviera paciencia, que se encargaría personalmente del caso.

Por fin, Luis y Roberto fueron liberados por el Consejo Tutelar de Menores, después de estar encerrados tres días en los separos de la Policía Judicial de Culiacán.

Sin embargo, JC ignoraba que su nuevo representante y "gran amigo", como lo calificaba el propio campeón, se convertiría en un reo de la justicia estadounidense.

En efecto, el 7 de mayo siguiente se esparció la noticia de que Ángel Gutiérrez había sido detenido en California por "importación ilegal de sustancias controladas": mariguana, concretamente.

Incluso, el campeón lo visitó durante su breve estancia en prisión.

Un mes antes, comenzó a circular el rumor de que Chávez y Gutiérrez formarían una sociedad. Ángel compraría el contrato del campeón por un millón de dólares.

El apoderado anunció durante una breve estancia en la Ciudad de México, en abril de ese año, que había comprado los contratos del campeón nacional *welter*, Jorge Vaca, y de Ramón "Pajarito" Rico, primer clasificado pluma, así como los de Ricardo Torres (Tijuana) y Moisés Cota (Culiacán). En total, estaban en su lista unos veinticinco peleadores.

Así, continuaron las sospechas de que se trataba de un ardid de Gutiérrez, una maniobra para "lavar el dinero" que obtenía de la venta de la "mercancía" que enviaba a California.

Según informaciones sobre la detención de Gutiérrez, se presume que participó en nueve envíos de droga entre febrero y abril, de Tijuana, Baja California, a Chula Vista, California, con la complicidad del agente aduanal José Ángel Barrón. Gutiérrez fue aprehendido junto con seis personas más.

Desde luego, JC negó estar relacionado con las actividades de Gutiérrez, pero era muy mal vista su amistad con el nuevo apoderado.

Cuando se enteró de que Julio César había visitado a Gutiérrez en la prisión, Sulaimán declaró:

> Fue entonces cuando no sólo yo, sino Don King y mucha gente del medio, aconsejamos a Julio que deshiciera su sociedad con Gutiérrez. Le dijimos que era su última oportunidad para abandonar esa relación, antes de que fuera demasiado tarde.

Finalmente, JC hizo caso.

Pero la historia de Ángel Gutiérrez —quien pudo librarse de la prisión de San Diego por motivos que no han quedado claros— siguió su curso rumbo a su trágico desenlace.

El abogado de JC, Francisco Bazán Peñaloza, declaró en aquel mayo de 1993:

> Desde ningún punto de vista se puede presumir que JC haya tenido que ver en algún ilícito, aun cuando se

comprobara la culpabilidad de Ángel Gutiérrez. Pero lo que es falso es que Gutiérrez haya comprado el contrato de JC. Lo que se dijo es que en un año, Chávez ganaría un millón de dólares, lo cual es distinto.

Este capítulo en la vida de Julio César quedó cerrado cuando Ángel Gutiérrez cayó acribillado a tiros en la avenida Kukulcán de Cancún, por supuestos narcotraficantes, aunque entonces JC ya nada tenía que ver con él.

Ese 1987 fue un año en que le llovió a JC en su milpita, pues no sólo estuvo a punto de perder su prestigio, sino de ir a la cárcel por "asociación delictuosa".

Todavía se recuerda sus vínculos con otro personaje ligado al narcotráfico: Francisco Arellano Félix, a quien se responsabiliza de ser el autor intelectual del asesinato del cardenal Juan Jesús Posadas Ocampo, perpetrado en el estacionamiento del aeropuerto de la ciudad de Guadalajara, el 24 de mayo de 1993.

A principios de 1987, era normal en Culiacán ver juntos y retratados con frecuencia en diarios y revistas a Francisco Arellano Félix y a Julio César Chávez. Amigos desde chamacos, concretaron a fin de año un negocio en común: la disco *Frankie Oh!* en Mazatlán.

Y también era normal ver a ambos lucir un escorpión de oro puro con el nombre de la disco, logotipo de ese inmueble ambientado como safari, emblema de los Arellano Félix.

La *Frankie Oh!* —incautada el 20 de agosto de 1993 con otras de las propiedades de los Arellano Félix en Sinaloa, a raíz de los conflictos entre narcotraficantes—, era un establecimiento en el que había animales para darle el *african look* decorativo: tres venados, un par de leones, una llama y cuatro caballos, entre otros. Ah, y además, un auto Jaguar de JC, que ese día se encontraba en la disco.

De acuerdo con el Registro Público de la Propiedad, el negocio fue instalado oficialmente el 31 de diciembre de 1987. Como propietarios aparecían José Alberto y Rafael Barrera Rodríguez, José Antonio Burgueño y Gabriel Elías García.

Se decía, sin embargo, que la disco era propiedad de JC. Y aunque tenía participación en acciones la Operadora de Empresas del Pacífico, propiedad de Chávez, la administradora legal era la señora Alicia Isabel Félix viuda de Arellano.

El sitio era espléndido para los trasnochadores, se bailaba a go-go, rock y otros ritmos modernos, rematando con música de mariachi y boleros. Así se hacían presentes nuestras raíces sentimentales a los turistas extranjeros y se recordaba a "la gente bonita" del país sus orígenes musicales.

Allí en la *Frankie Oh!* actuaron, según menciones de la época, cantantes mexicanos de moda, entre ellos Gloria Trevi, Emmanuel, Luis Miguel...

El anuncio en los periódicos para invitar a los eventos de la *Frankie Oh!*, decía así: "La disco propiedad de Julio César Chávez... de cinco estrellas, la más grande del mundo en su estilo safari".

Y, claro, no podía faltar el logotipo del escorpión, de significación especial para Arellano Félix.

Ambos comenzardon el 20 de enero de 1990 otra copropiedad: la construcción de un hotel cinco estrellas en la *Zona Dorada* de Mazatlán, en la bella avenida Camarón Sabalo.

JC tiene muchos otros negocios, además de contratos de publicidad, lo cual le ha permitido reunir en su carrera el dinero suficiente con el que "mi familia jamás tendrá problemas económicos".

Sin embargo, cuando JC se vio más involucrado en asuntos de narcotraficantes fue a raíz del asesinato de la abogada sinaloense Norma Corona, defensora de los derechos humanos, en 1991.

Según declaraciones del presunto narcotraficante Miguel Ángel Rico Urrea, uno de los autores materiales del crimen, Santos Arellano Bazán, alias "El Santillos", se escondió en una casa que supuestamente pertenecía a JC, en Tijuana.

Chávez negó ser propietario de casa o departamento en aquella ciudad fronteriza. Tuvo uno, sí, pero manifestó que lo había vendido hacía tres años.

El diario independiente culiche, *El Noroeste*, publicó dicha nota, y naturalmente provocó la indignación del pugilista. JC pagó un desplegado en el mismo diario, en el que denuncia que dicha información "denigra mi imagen como deportista, como hijo, como padre y esposo".

La información trascendió a otros medios de comunicación nacionales, como el periódico regiomontano *El Norte*, que escribió:

> Julio César Chávez, campeón mundial de peso ligero, podría estar implicado en el asesinato de la abogada sinaloense Norma Corona, según se ventiló hoy en el juicio que se le sigue al presunto autor intelectual del homicidio.

Agrega el artículo:

> Durante el careo que se realizó hoy —10 de noviembre de 1991—, entre el ex comandante de la Policía Judicial Federal, Mario Alberto González Treviño, y el presunto traficante sinaloense Miguel Ángel Rico Urrea, este último señaló que el boxeador estaba implicado.

Y sigue otra acusación:

> Rico Urrea narró que los autores materiales del asesinato fueron Isaac Chávez Lafroga, alias "El Caballo", y Santos Arellano Bazán, pero que éste huyó después a Tijuana y se escondió en la casa de Julio César.

Según la versión del diario, una vez que "El Santillos" huyó de Culiacán a Tijuana después de haber dado muerte a Norma Corona, se escondió en la casa del campeón y éste, "al saber de la bronca en Culiacán, lo delató al comandante González Treviño".

Continúa el diario:

> El comandante viajó luego a Tijuana junto con otros elementos de la Policía Judicial Federal (PJF) para aprehenderlo, pero después apareció muerto a balazos junto con un oficial del Ejército Mexicano.

El comandante González Treviño "negó conocer personalmente a 'El Santillos'". Según el periódico:

> González Treviño reconoció, sin embargo, que viajó a Tijuana en dos ocasiones, a bordo de minijets de la Procuraduría General de la República (PGR) para aprehenderlo por encontrarlo involucrado en el asesinato de Corona. También rechazó que Julio César Chávez estuviera inmiscuido en el asunto, y aseguró que son amigos personales. Además, Julio César no me comentó que tuviera relaciones con él (sic).

Según la revista *Proceso*[9], en su defensa Chávez acusó al diario culiacanense de manipular la información:

El Noroeste retuerce una supuesta declaración que atribuye a Miguel Ángel Rico Urrea, en la que al parecer menciona mi nombre en relación con que un tal "Santillos" se escondió en un departamento que suponen es de mi propiedad, ubicado en la ciudad de Tijuana, Baja California. Ese endeble e insostenible indicio sirve de base a un periódico independiente para fabricar noticias e involucra mi nombre en relación con el caso de la doctora Norma Corona Spiens, la dama defensora de los derechos humanos, cuya memoria pisotea *El Noroeste* con su acostumbrada temeridad para falsear los hechos.

En dicho desplegado, JC exige a las autoridades una estricta investigación. Indignado, dijo:

Debe iniciarse la investigación, debido a que está en juego mi honorabilidad, mi prestigio como deportista, y más que nada como muestra de respeto a todos los sinaloenses.

Ésta fue la respuesta del director del diario, Silvino Silva Lozano:

El periódico *Noroeste* no miente. La información a la que usted hace alusión está debidamente acreditada a su fuente de origen, *El Norte* de Monterrey, cuyos reporteros hicieron el seguimiento informativo de las diligencias en la Ciudad de México, durante el juicio que se sigue al ex comandante de la Policía Judicial Federal Mario Alberto González Treviño, como presunto autor intelectual del asesinato de la apreciada jurista y humanista sinaloense, Norma Corona.

Silva Lozano precisa:

> Las aclaraciones de Rico fueron ante autoridades judiciales, no ante cualquier persona. Le guardo enorme respeto a Julio César como pugilista, no así como ciudadano, porque deja mucho qué desear. Y en este caso, *Noroeste* tiene una línea ética: la lucha contra el narcotráfico. Y toda información relacionada con este tema, siempre aparecerá en nuestra primera plana, trátese de quien se trate.

Así, en tanto que JC aceptó que González Treviño le obsequió un cinturón de monarca con piedras preciosas, "porque es mi admirador", el periodista comentó que eso iba más allá de la "admiración", porque "un cinturón de campeonato mundial no se le regala a un desconocido".

Un cinturón de los cuatro que adornaban entonces una vitrina de su casa, como mencioné, costaba más de 40 mil dólares.

Para entonces, Julio César ya estaba siendo bastante vapuleado por todos esos conflictos.

Y entonces sus amigos, que instrumentaron un plan emergente, salieron en su defensa.

El sábado 16 de noviembre de 1991, en un restaurante culiacanense, la Federación de Asociaciones Políticas José María Morelos de Sinaloa, A.C., invitó al campeón a un desayuno.

Estuvieron presentes el titular del CMB, José Sulaimán, así como representantes de organizaciones políticas, como la Canaco, la Canirac, la Canacintra, la Cámara de la Industria de la Construcción, la Canapeco, el Colegio de Abogados, la Universidad Autónoma de Sinaloa y la San Miguel de Culiacán. Asimismo, asistieron representantes del gobernador y del procurador de justicia, simpatizantes y otros miembros de las "fuerzas vivas" del estado.

Así comenzó a lavarse la imagen del monarca.

En el transcurso del desayuno, celebrado en el restaurante *La Carreta de los Colín*, ubicado en la avenida Insurgentes, cerquita del Palacio de Gobierno, el contador público Daniel Viesca Monsiváis se dirigió a los comensales con las siguientes palabras:

Hablar de Julio César Chávez, para un servidor, no representa ningún esfuerzo, ya que ha tenido grandes logros en su actividad profesional y como ser humano, padre de familia, amoroso hijo y excelente ciudadano... Puedo afirmar que Julio César es un magnífico muchacho, grande como boxeador, ya que ha llevado el nombre de nuestro país y de Sinaloa en todos los encordados en que ha librado combates boxísticos.

Agregó en lo que muchos sintieron como un discurso exagerado:

> Su vida privada es ejemplar. Prueba de ello es el hecho de que entre nosotros se encuentran sus padres, sus hermanos, su amantísima esposa y excelente madre, así como sus pequeños hijos que son el orgullo de Julio César Chávez.

Pero la defensa más sólida la ofreció José Sulaimán en aquella mañana:

> Julio César no puede evitar ser un gran centro de atracción. Y por ello, por lo que representa para la sociedad, no puede negarle la mano a nadie. Es como un panal de miel, donde concurren todo tipo de abejas: las que pican y las que no. Vamos a apoyarlo para destruir a esas abejas que pican... esas imputaciones injustas y aberrantes...

Al término del combate en el Estadio Azteca ante Greg Haugen, momentos antes de la conferencia de prensa en un salón de entrevistas del monumental escenario, uno de los hombres del séquito de JC, su hermano Rafael, golpeó a un periodista del diario

El Universal, de la Ciudad de México.

El cronista Francisco Ortiz Velázquez fue descontado por Rafael, quien le hizo una herida en la boca. Una segunda agresión, una patada, no llegó a su destino y sin querer golpeó a la reportera del periódico *El Sol*, Bertha Servín.

Este tipo de incidentes de parte de quienes rodean a Chávez, ha sido denunciado con frecuencia en Culiacán por el diario *El Noroeste*. En el caso del periodista de la Ciudad de México, el descontón ejercido por el hermano mayor de JC, narró el reportero deportivo, fue "dizque porque no le gusta la forma como hemos escrito de Julio César..."

La agresión fue denunciada ante las autoridades judiciales, pero al final de cuentas todo quedó en un "buen arreglo" y no en "un mal pleito", cuando los abogados de JC, y él mismo, ofrecieron disculpas al cronista y al diario.

Pero respecto de la relación entre él y sus "malas compañías", el propio Julio se defiende desde 1991 para evitar se le considere ciudadano sospechoso:

—Desgraciadamente yo vivo en Culiacán, Sinaloa. ¿Saben lo que es eso? El lugar donde han surgido los narcos más pesados de México. Yo soy un deportista que me debo al público. Tengo amigos de todo tipo. Yo no tengo nexos con narcotraficantes. Mi vida es el boxeo. Sí, me relacionan con mucha gente, pero que me lo comprueben con hechos, no con infundios.

El 19 de noviembre de 1991, el procurador Ignacio Morales Lechuga visitó al gobernador Labastida Ochoa y afirmó que las autoridades nunca encontraron argumentos para enjuiciar al campeón.

El punto final a este asunto, hasta ese año, lo expresó el profesor Óscar Loza Ochoa, entonces titular de la Comisión de Derechos Humanos en Culiacán, al otorgar su voto de confianza al peleador.

Julio César, pues, de cero en conducta, se convirtió en un ciudadano libre de toda sospecha.

4. Maquillaje a granel

Como ciudadano, Julio César estaba ya fuera de peligro.

Sin embargo, sus relaciones lo obligaron a encarar un reto más, sólo que ahora de prestigio, sobre la calidad de los peleadores a los que se enfrentaba para seguir incrementando su récord de invencibilidad, y llegar a convertirse en un verdadero ídolo.

Sí, esas constantes dudas de la prensa y el público, bajo el supuesto de que Don King escogía a JC los peleadores "a modo".

Además, tuvo que enfrentar una controversia por haber jugado a los dos amos, y firmar contratos con los principales promotores internacionales: King por un lado (Don King Promotions) y Bob Arum (Top

Rank) por el otro. Ah, y una combinada con Promociones Azteca, de televisión.

Todo comenzó en marzo de 1990, cuando JC acababa de vencer angustiosa y apuradamente a Meldrick Taylor.

Julio César hizo públicas sus diferencias con King. Aseguró haber roto vínculos con ese hombre que manejaba sus combates desde hacía cuatro años. Y amenazó que podría hacer lo mismo con el Consejo Mundial de Boxeo —y organismos que se le parezcan—, en caso de que se opusieran a un combate entre él y el portorriqueño Héctor "Macho" Camacho.

Vencer a Taylor significó para Chávez ingresar en las listas de los ganadores de sumas importantes de dólares: un millón 400 mil. Pero el sonorense quería más y en el *bluff* económico, dijo que le ofrecían 7 millones de dólares por pelear con Camacho.

El problema era el regateo: King le ofrecía cuatro, cifra apegada a la realidad para campeones de pesos intermedios.

Mientras tanto, Chávez gritaba a los cuatro vientos que estaba muy molesto con su promotor, en virtud de que éste le descontó impuestos por más de medio millón de dólares, por aquel ingreso de un millón 400 mil dólares cuando venció a Taylor.

Además, el mexicano se molestó cuando supo que King se había metido al bolsillo ocho millones por comercializar el evento. Le pareció muy disparejo que le hubiera pagado "tan poco" y que, además, le diera un fuerte gancho a su bolsillo por concepto de impuestos.

Las relaciones, al menos en los medios de comunicación, proyectaban las serias discrepancias entre Chávez y King.

Por ello, en abril de ese año la oficina de Don amenazó demandar a JC en caso de que firmara con otra empresa: para entonces, Chávez ya había hablado con el promotor Steve Wynn, para organizar el compromiso contra el "Macho", en junio, en el hotel *Mirage* de Las Vegas.

En caso de hacer efectiva la amenaza de King, a JC se le juntaría, entonces, otra demanda: la de los promotores Rogelio Robles y Ricardo Maldonado, de Promociones Azteca (en California, Estados Unidos), empresa que exigía en juicio la indemnización de un millón 200 mil dólares por supuesto incumplimiento de contrato por parte de Chávez.

Éste había firmado con Promociones Azteca para combatir por el título superligero CMB contra Roger Mayweather, en la primavera de 1989. Finalmente, este combate lo organizaron Don King y The Forum Boxing Club, el 13 de mayo de ese año.

El juicio siguió su curso y concluyó en Los Ángeles. Lo ganó Promociones Azteca y JC debía pagar 880 mil dólares de indemnización.

Al respecto, dijo Chávez:

> ¿Cómo voy a pelear bajo la promoción de Robles si me ofrece 500 mil dólares? En mi siguiente combate, en julio próximo en Washington, ganaré dos millones...

Ése, desde luego, no era el punto.

La realidad era que había firmado y había faltado al compromiso.

El problema radicaba en que Chávez se contrató con Promociones Azteca y terminó por llegar a un acuerdo con King.

Julio sabía que se había equivocado, pero en realidad seguía quejándose de que la bolsa pactada era muy pobre para su calidad. Sentía que no le ofrecían lo que merecía.

Reflexionaba el pugilista sonorense:

> Tommy Hearns, "Sugar" Ray Leonard y Mike Tyson han ganado millones, ¿por qué yo no si también lleno los estadios? En todo caso, el "Macho" y yo llenaríamos un estadio de cincuenta mil personas sin necesidad de King y cualquiera de las otras organizaciones boxísticas internacionales, incluido el Consejo Mundial de Boxeo. Y hasta sin nuestros títulos, en caso de que nos desconocieran.

Razonaba JC:

La vida de un peleador es corta. Yo me juego la vida en el ring. Si puedo ganar diez millones, ¿por qué debo aceptar sólo cuatro?

Por aquellos días Chávez comenzaba a recibir apoyo de empresarios; de clubes deportivos; de su propio salón de fiestas, llamado *Mr. Nocaut*, ubicado en la Avenida Zapata en Culiacán, y de figuras de la política nacional, entre las que destacaba el entonces gobernador de Sinaloa, Francisco Labastida Ochoa. Además, gozaba de ingresos por otros negocios que había establecido.

Incluso el presidente Salinas de Gortari lo recibía en Los Pinos.

Ya circulaba para entonces uno de los varios corridos dedicados al peleador, aquel que contiene parte del problema con su promotor:

Ya hay pleito con Don King,
el de los pelos parados,
porque el campeón decidió
no seguir siendo explotado...

La oficina del promotor entró al quite para hacer aclaraciones. Y ante las quejas del campeón y la tirantez de sus relaciones con el promotor, Eddie Mafuz, ejecutivo de la empresa Don King Promotions Sports and Entertainment, reveló que de abril de 1987 a marzo de 1990, JC había recibido de las promociones de King 4 millones 600 mil dólares, más un millón 400 mil del combate con Meldrick Taylor.

La respuesta de Chávez volvió a estar impregnada de acidez:

—Claro —respondió JC—. ¿Y cuánto ha ganado él? Yo cumplo con los requisitos, pago impuestos en México y en Estados Unidos... Él ha ganado más que yo.

Desde luego que sí. King ha ganado muchos, muchos millones de dólares, desde que comenzó a organizar espectaculares combates con base en la figura de Muhammad Alí. También realizó promociones millonarias al garantizar a los peleadores de peso pluma un millón de dólares, como fue el caso del mexicano Salvador Sánchez, cuando venció al portorriqueño Wilfredo Gómez el 21 de agosto de 1981. Asimismo, fue el que se atrevió a pagar cifra igual a peleadores debajo de las 135 libras. También montó espectáculos con Michael Jackson. Pero, además de Tommy Hearns y "Sugar" Ray Leonard, su principal mina de oro era Mike Tyson, quien apareció en los encordados el 6 de enero de 1985.

Este muchacho, rescatado por Cus D'Amato del reformatorio al que ingresó por robo, respondió al reto: en veinte meses llegó al título mundial con récord de 25 nocauts y 2 decisiones en 27 peleas. Hasta entonces 15 de sus victorias las había ganado en el primer round.

Pero Tyson no pudo sustraerse al estigma del barrio bravo, y tuvo que purgar una sentencia de seis años por violación. La ofendida fue la modelo Desiree Washington, de 18 años de edad, cuando él tenía 25. La chica era aspirante en el concurso "Miss Black America" (Señorita América Negra) —su foto semidesnuda puede verse en Internet— y acusó al peleador de haberla violado en el hotel Canterbury de Indianápolis, el 19 de julio de 1991.

La juez Patricia Gifford, entre otras sanciones, lo condenó a seis años, tres de los cuales pasó en prisión.

Cuando Tyson salió de la cárcel, King trató todavía de rescatarlo como protagonista en sus promociones; pero era demasiado tarde. Todo terminó en divorcio, y ahora Mike quiere regresar al cuadrilátero.

Según José Sulaimán, las relaciones King-Tyson estaban muy deterioradas; debido a ello, y también a las envidias de la Asociación Mundial de Boxeo (AMB) contra el CMB, comenzó una guerra natural en busca del poder. Se difundieron ataques contra el presidente mexicano del CMB. Explica el propio Sulaimán:

La clave de todo —habla del combate entre Tyson y James Douglas el domingo 11 de febrero del 90— era

76

la lucha por el control del boxeo mundial. Son muy poderosos los intereses económicos en juego, sobre todo en la división que siempre ha sido más redituable: la de los pesos completos.

Piensa que en esa rebatinga él se encontraba en la mira de los promotores blancos estadounidenses, quienes jamás han tolerado que un mexicano esté al frente de una organización internacional como el CMB, "y ya no digamos un negro con personalidad extravagante como la de Don King", comenta Sulaimán.

Recuerda el empresario:

> Desde mediados de los 70, Don King y Bob Arum libraron una batalla por el control de las promociones más importantes. Y, lógico, se querían comer el pastel de los pesos pesados.

Entre 1976 y 1978, ambos se apropiaron de un territorio. Y en funciones televisivas, Arum vendía sus derechos a la CBS, en tanto que King lo hacía a la ABC.

Claro, llegó un momento en que se acabó esta "división territorial", como la llamaba Arum. Al modificarse la relación con las televisoras empezaron a surgir los problemas, aunque en 1982 King fue el primero en establecer su propio canal de televisión, llamado The Don King Sports and Entertainment Network (DKSEN). Durante trece meses, a partir de 1980, el FBI realizó investigaciones en torno a posibles violaciones de la ley antimonopolios, que sirvieron de advertencia a ambos y abrieron las puertas a otros.

Entre éstos, Teddy Brenner acusó en Nueva York al CMB y a José Sulaimán por diez cargos de calumnia, difamación y violación de la ley antimonopolios. El caso se ventiló en los tribunales, pero el CMB fue exonerado de toda culpa. Ahora, aunque ambos siguen siendo los promotores principales, las categorías medias y pesadas se han ido marchando del escaparate fundamental del espectáculo y los peleadores de divisiones menores están en la mira.

De acuerdo con Sulaimán, la feroz lucha entre ambos promotores —iniciada desde mediados de los 70—, incluía la posesión del contrato de JC Chávez.

Bob Arum es hijo de una familia judía ortodoxa, graduado en leyes en Harvard. Se asegura que ingresó al boxeo cuando trabajaba en la Procuraduría de Impuestos en Manhattan, y se percató de que el promotor Roy Cohn pretendía evadir impuestos de las ganancias del combate entre Floyd Patterson y "Sonny" Liston. La venta en taquilla fue de unos 5 millones de dólares. Arum, entonces, buscó en 1965 a Muhammad Alí para ofrecerle su promotoría. Se asociaron al año siguiente.

Pero King contraatacó[10] en 1974, al convertirse en el primer promotor en garantizar una suma sin precedente de 10 millones en pago de bolsas. George Foreman y Muhammad Alí, recibieron cinco millones cada uno por su combate denominado *Rumble in the Jungle* (Alboroto en la jungla). El 30 de octubre de 1974, en Kinshasa, Zaire, África, Alí noqueó a su contrincante en 8 asaltos y recuperó su título mundial.

La única condición para celebrar ese combate era que Alí deshiciera su asociación con Arum.

Pero Arum, con tenacidad inquebrantable, volvió a la carga y se empeñó en organizar un tercer combate, Alí-Frazier, que se realizó el primero de octubre de 1975 en Manila, Filipinas, con la victoria de Alí por nocaut en 14 asaltos. Al año siguiente promovió un combate más de Alí contra Ken Norton, con bolsa de 6 y medio millones de dólares para el campeón, el cual fue ganado por Alí en 15 rounds, en Nueva York, el 28 de septiembre.

Arum parecía volver a la cima. King, entre tanto, fue acusado de amañar los records de varios boxeadores, quienes intervendrían en un torneo llamado Campeonato de Boxeo de América, en 1977. La empresa de Arum (Top Rank) organizó 20 peleas de campeonato en 1978, desde luego las 2 de Muhammad Alí frente a Leon Spinks (una perdida y otra ganada), y la última victoria lograda por Alí el 15 de septiembre en Nueva Orleáns, en 15 rounds, para reconquistar la corona.

El otrora Cassius Clay, oriundo de Louisville, Kentucky, pasó en blanco 1979, año en el que proclamó por segunda vez su retiro —la primera fue en febrero de 1970 pero en septiembre anunció su regreso—. Terminó su carrera en 1980 ante Larry Holmes, el 2 de octubre, cuando fue noqueado en 11 episodios, en la pelea por la corona universal, en Las Vegas.

Aún le quedaba a King un poquito de Tyson para seguir en el mercado millonario. Aunque Mike fue condenado a seis años de cárcel, su sentencia se redujo en una proporción de un día por cada jornada de buena conducta. Por fin, salió de prisión el 25 de marzo del 95, después de estar tras las rejas mil setenta y cinco días, en los que reunió seiscientos y tantos dólares, gracias a los 65 centavos diarios que obtuvo en la cárcel.

Total que King acogió la salida del preso 922335 en Indianápolis, para reintegrarlo al espectáculo. Un combate preparado para el 18 de agosto de 1995, evento que de acuerdo con la oficina de King generó 90 millones de dólares en todo el mundo, enfrentó a Tyson con un ilustre desconocido: Peter McNeeley, de origen irlandés. A los 26 años de edad, McNeeley con sospechoso récord de 31-1, había obtenido apenas 190 dólares de paga en su última pelea en Arkansas.

Pero una vez que se fueron de los encordados Hearns, Leonard, Alí, Sal Sánchez y Tyson, entre otros, Chávez se convirtió, por méritos propios, en el "Rey Midas" de King: su principal gladiador. Por ello, difícilmente se esperaba un rompimiento, y menos una demanda de King contra su propio astro del ring.

El promotor aprovechó el anuncio del combate entre Pernell Whitaker y Azumah Nelson —19 de mayo de 1990 en el Caesar's Palace—, para asegurar que no tenía intenciones de demandar a Chávez, porque estaba convencido que el pugilista no se atrevería a romper el contrato.

Sin embargo, el clima se volvió turbulento a finales de ese año. El 14 de diciembre, a Julio César se le ocurrió firmar un convenio exclusivo con Bob Arum, el eterno rival de King.

Los términos del compromiso establecían que Arum pagaría al peleador 15 millones de dólares en dos años —a partir del primero de mayo de 1991—, si el monarca se mantenía invicto. El campeón aceptó un adelanto de 300 mil dólares.

Por cierto, esa cantidad tan reducida permitió a la postre romper el compromiso, sin necesidad de una considerable indemnización.

En enero siguiente King visitó el campamento de preparación de JC en el Centro Otomí, uno de los sitios de mayor altitud cercanos a Toluca, la capital del Estado de México, y lo convenció para dirimir sus diferencias e iniciar su reconciliación.

Y para variar, en febrero resellaron su amistad con un contrato, a pesar del que tenía Chávez con Arum.

Para hacer efectiva su nueva relación contractual con King, en la primera quincena de abril de 1991 Chávez, por conducto de sus abogados, entabló una demanda en Nueva York contra Bob Arum y su empresa Top Rank, a la que solicitó la anulación del compromiso.

Según el comunicado de Gladys M. Rosa, jefa de la oficina de relaciones públicas de Don King Promotions, Chávez alegaba que Bob Arum lo indujo "fraudulentamente a firmar el contrato".

Desde luego, Arum contraatacó. Y lo hizo precisamente el 1° de mayo, cuando comenzaba la vigencia del acuerdo entre ambos.

Arum aprovechó el punto de conflicto para criticar a Julio César:

—Es un retrasado mental por volver con King, el hombre que siempre lo ha engañado.

Y no bajó a King de embaucador y tranza.

El diario californiano *The San Francisco Chronicle* entrevistó a León Pizante, uno de los abogados de JC, quien declaró:

"Chávez es una persona muy débil, por ello ha firmado tantos contratos que lo han perjudicado. Bueno, firma hasta los recados..."

Sin embargo, en el convenio con King, en febrero del 91, Chávez acordó con el promotor hacer 4 o 5 peleas en año y medio, y afirmó que ganaría 30 millones de dólares.

En otra parte del acuerdo quedaba establecido que si hubiese que pagarle indemnización a Arum, ésta correría a cargo de King. Y así ocurrió.

Todos felices y a comenzar una nueva etapa del brazo y por el ring, esos viejos y locos amigos de los gimnasios y sus alrededores —Don y JC—, con la anuencia básica de uno de los más hombres influyentes en el deporte internacional del boxeo: José Sulaimán.

Luego, Chávez no estaba tan equivocado como Arum pensaba.

Por lo pronto —aunque JC niega que hubo mano negra—, gracias al propio King solucionó en forma muy tranquila su problema legal con Promociones Azteca. El 6 de febrero de 1991, en el hotel Aristos de la Ciudad de México, King y Chávez convencieron a Maldonado de olvidar la demanda y los 880 mil dólares.

Le pagarían los gastos del juicio —200 mil dólares— y una indemnización simbólica, y le prometieron que trabajarían junto a King Promotions en funciones en el Distrito Federal.

Maldonado, radicado en Los Ángeles, simplemente dijo:

Desde luego, ya no vamos a recibir los 880 mil dólares estipulados en la demanda, pero posteriormente Promociones Azteca va a ir en copromoción con Don King en las contiendas que Julio hará en el Distrito Federal. Preferimos llegar así al final de este problema.

King ha trabajado en el Distrito Federal, claro, pero con Televisa, propietaria del estadio Azteca, y no con la otra empresa californiana, que por cierto quedó fuera de la función y de la jugada.

Entonces quedaba una sola duda: ¿por qué JC jugó al doblete al firmar contratos con Arum y King?

El propio pugilista, muy vivo, lo dijo en una visita al diario *El Universal* de la Ciudad de México, el martes 12 de febrero del 91:

Todo fue parte de una táctica mía para demostrarle a King de lo que se estaba perdiendo. Para darle un susto. Dicen que nadie sabe lo que tiene hasta que lo ve perdido... De todas formas yo iba a salir ganando por el contrato que firmé con Bob Arum. El precio de mi regreso lo tiene que pagar King haciéndose cargo de las demandas que tenga en mi contra...

Claro, muy vivo el bato. Se da uno cuenta de que el boxeo es una eterna mitomanía.

Un peleador manejado por Arum, el excampeón completo Michael Spinks, dijo:

—Arum es muy bueno para manipular: ésa es su profesión.

El diario *The New York Times*, en uno de sus artículos sobre el fenómeno boxístico, cuenta una anécdota de Arum.

—Pero Bob —se quejó un reportero—, ayer me dijiste lo contrario...

—Ayer estaba mintiendo, hoy te estoy diciendo la verdad.

Por ello la vieja y tradicional sentencia del pugilismo advierte: nunca creas lo que se dice en el box...

Al respecto, Sulaimán quien, a diferencia de King, posee estudios universitarios en Estados Unidos, declaró sobre los promotores:

Ni Don King, ni Bob Arum, ni el propio George Parnassus en su época, ni ningún otro, ha sido o es hermana de la caridad. Su negocio es el boxeo y, consecuentemente, hacen todo para ganar lo más que pueden. Con frecuencia se ponen los guantes y luego se los quitan. Se convierten en irreconciliables enemigos y luego en amigos, si sus intereses en este negocio así lo requieren.

No conozco, no me interesa conocer los procedimientos ni detalles de su negocio. No es ésa la función del organismo que represento ni la mía.

La realidad es inevitable: Chávez-King continúan su idilio desde el 12 de septiembre de 1992, cuando el maestro de la promoción boxística promovió lo que denominó *Ultimate Glory: The Fight For It All* (Última gloria: la pelea por todo).

Y desde el bello gimnasio Tom and Mack de la Universidad de Las Vegas, el mexicano conquistó la victoria 82 en su carrera, al darle un buen repaso al portorriqueño Héctor "Macho" Camacho, en 12 episodios.

En el festejo posterior al combate, en un salón del Hilton —Centro de Convenciones—, entre un grupo de familiares, amigos y admiradores, mariachis y tragos, Chávez se sentía, como siempre lo había sido, el hombre del cuadrilátero.

Pero no faltó quien le comentara en la euforia de la circunstancia:

—...no lo noqueaste.

—Pero mira cómo lo dejé.

Llegó el "Macho" enfundado en un traje estrafalario; pero haciéndole al orgulloso perdedor, los ojos morados cubiertos con anteojos oscuros, el rostro tumefacto, en un momento dado se puso a cantar.

Arum volvió a la carga un año después, a raíz del controvertido empate entre Chávez y Pernell Whitaker en San Antonio, en 12 episodios, el 10 de septiembre de 1993. Arum enfiló sus armas verbales contra King y Sulaimán, y según aquél, les sacó viejos trapitos al sol: aseguró que están amafiados en una "conspiración criminal".

Y lanzó voces a todos lados para que la Comisión Atlética de Nevada impidiera a King celebrar combates en ese estado de la Unión Americana, cuyo corazón financiero y guapachoso del espectáculo radica en Las Vegas.

Aseguró Arum en septiembre de 1993 que, de acuerdo con un ex contador de King, Joseph Maffia —a pa' apellidito—, aquél destinaba mensualmente cifras millonarias a Sulaimán.

Hasta el nicaragüense Alexis Argüello —quien noqueó en 13 rounds a Rubén Olivares para despojarlo de su cinturón mundial pluma en El Foro de Inglewood, California, el 23 de noviembre del 74— tomó partido por Arum, obviamente.

El pugilista hizo hincapié en la supuesta sociedad King-Sulaimán al referirse a las mafias en este controvertido universo:

> Sulaimán es el brazo derecho de Don King. Éste me debe todavía 55 mil dólares como pago por la pelea contra "Bazooka" Limón. Hay que ver su última fechoría, la pelea de Chávez-Whitaker.

Y hasta se atrevió a decir:

> Don King salió de la cárcel. Cumplió una condena por asesinato. ¿Qué moral puede tener este hombre?

Sabemos que King fue encarcelado por "asesinato involuntario" —o imprudencial, que no deliberado—, y por ello cumplió un servicio comunitario (entre 1967 y 70). Pero lamentablemente Argüello se fue de la lengua, porque King dejó atrás ese momento depresivo, y se convirtió en uno de los reyes del espectáculo.

De hecho, ha sobrevivido a impugnaciones y demandas frecuentes. Fue absuelto de acusación de fraude y evasión de impuestos en 1984, y es para muchos estadounidenses la ejemplificación de lo que podría denominarse "el sueño americano": de la miseria y la cárcel y la opulencia.

Dice King:

> Cualquier persona que quiere trabajar duro puede vivir el sueño americano. Porque *only in América* (sólo en Estados Unidos) puede haber un Don King. Lo que yo he logrado no se puede alcanzar en ningún otro lugar. Estados Unidos es el país más maravilloso del mundo.

Independientemente de si esté uno de acuerdo o no al respecto, la realidad es que King promovió los combates más importantes de peso completo de 1978 a 1990. Retomó a Alí en su regreso después de que éste estuvo inhabilitado por negarse a ir a Vietnam (1968-69), lo mismo que a Tyson cuando salió de la cárcel.

King asegura que como todo es posible en su país, la sociedad lo ha recompensado: en 1987 recibió el premio Humanitario de Martin Luther King Jr., por su "constante esfuerzo filantrópico". Un año más tarde fue declarado "promotor del siglo" por la organización judía Max Case Sports Lodge de B'nai B'rith International.

King patrocina la fundación que lleva su nombre y entre sus actividades realizó funciones en beneficio de los damnificados mexicanos con motivo de las explosiones en San Juan Ixhuatepec en 1984 y el terremoto de 1985.

Pero volvamos a Chávez: la verdad es que su victoria sobre el "Macho" Camacho le permitió acceder a una cima tan alta a la que sólo se puede llegar a través de un procedimiento publicitario a todo vapor y, desde luego, debido a una capacidad personal pocas veces vista en la historia del pugilato. Por fin logró King su gran objetivo: despertar en el público lo que el propio Chávez, a pesar de su espléndido historial, aún no lograba: que se le considerara ídolo, que se le otorgara el reconocimiento masivo y nacional.

Don King consiguió ese admiración del público hacia JC para seguir metiendo dinero a su bolsillo, al del campeón y al de las organizaciones ligadas al espectáculo, incluidas, desde luego, las arcas de uno de los más extraños pasatiempos del hombre: las apuestas.

También Sulaimán ha tenido que luchar mucho para sobreponerse a las adversidades. Como King, estuvo detenido, pero sólo por algunas horas, al habérsele acusado de "tráfico de joyas arqueológicas" en 1983. Fue absuelto, pero mientras aparecía la verdad, cuenta que le robaron muchísimas, si no todas, las piezas de su colección.

De padres libaneses, José Sulaimán Chagnón nació el 30 de mayo de 1931 —el mismo año que King— en Ciudad Victoria, Tamaulipas. Luego la familia se trasladó a Ciudad Valles, San Luis Potosí, donde radicó siete años, y emigró a la capital de la República.

Desde diciembre de 1975 preside el Consejo Mundial de Boxeo, y hasta el 18 de febrero de 1991 estuvo dos años al frente de la Comisión de Box del Distrito Federal.

Explica el porqué de su obligada relación con King:

> Lo que sí sé en cuanto a Don King, por ejemplo, del que he leído opiniones que me producen risa porque me ligan con él promocionalmente, es que lo he usado para apoyar a muchos boxeadores mexicanos, y a muchos otros procedentes de los países en desarrollo, quienes tenían cerradas las puertas cerradas del monopolio boxístico. Un ejemplo es el caso de Babe Arizmendi "El Generalito", oriundo de Torreón, Coahuila, nacido

el 17 de marzo de 1914, quien no pudo alcanzar la corona mundial pluma, a pesar de haber vencido a Mike Belloise el 30 de agosto de 1934, y se quedó a la orilla del camino.

Comenzaron, pues, a producirse a granel los combates millonarios para Julio César.

Antes de la función denominada *Star Spangled Glory* (La gloria de las barras y las estrellas), el 8 de mayo de 1993, contra Terrence Alli, ocurrió la gran función en el Estadio Azteca, el 20 de febrero.

Según la empresa, asistieron 136,274 espectadores a la función promovida como *Póker de Ases*, cuando Chávez dispuso de Greg Hauguen para mantener su campeonato superligero.

A propósito, ése ha sido el mayor récord de asistencia en la historia del boxeo. La segunda concurrencia más numerosa fue hace 72 años, cuando Jack Dempsey perdió el título mundial ante Gene Tunney, en el parque de beisbol Sesquicentennial de Filadelfia, el 23 de septiembre de 1926. Ese combate, llamado *La cuenta larga*, fue presenciado por 120,757 personas.

Luego de la victoria absoluta sobre el "Macho", la suspicacia en los gimnasios esparció el rumor de que King había encontrado la ruta para encaminar a Chávez hacia una pelea contra Haugen, a quien se consideraba uno de los "bultos" que inventó King para mantener a Chávez invicto en la que parecía ser la recta final de su carrera.

Desde ese mismo 1992, Chávez fue designado por José Sulaimán como el mejor peleador "libra por libra del mundo".

Y, como era de esperarse, debido a su espléndido récord, se desgranaron los elogios internacionales. En Estados Unidos le adjudicaron el mote de "Mr. Nocaut". En Francia se refieren a él como "el más grande peleador del mundo", "la leyenda viviente" o "El Señor de México"... Y en Inglaterra, el *Boxing News* lo calificó como "El Supremo", en un artículo titulado: "Quiénes son los verdaderos campeones".

La presencia explosiva de JC en el cuadrilátero, la publicidad y la magia de la promotoría de Don King, que pone en juego millones de dólares en cada combate, permiten a Chávez portar una aureola impecable, a pesar de sus "actos fallidos" como ciudadano.

Por lo pronto, siguen las funciones "extravagantes" de King; en *The Fight* (La pelea), como llamara el promotor a la función del viernes 10 de septiembre de 1993, Chávez fue incapaz de lograr su sexto campeonato mundial en cuatro categorías diferentes.

No sólo no pudo vencer a su rival, el "intocable" o el "escurridizo" Pernell *Sweet Pea* ("Chícharo") Whitaker, monarca welter del Consejo Mundial de

Boxeo, sino que padeció el primer empate de su carrera, en el Alamodome de San Antonio, Texas.

Supuestamente, el escenario era el sitio ideal para otro triunfo más de JC. Se dice que en dicha ciudad texana arde aún el amor por lo mexicano... y más en el mes de la patria.

Así que, hasta que el nocaut los separe, King y Chávez siguen del brazo y por el ring.

Y como quiera que sea, después de "Macho" Camacho, el promotor le ha permitido pelear con boxeadores descalificados como Bruce Pearson (noqueado en 3 rounds), Marty Jakubowski (nocaut técnico en 6), Silvio Walter Rojas (nocaut técnico en 3), Terrence Alli (nocaut técnico en 6), Mike Powell (nocaut técnico en 4) y Andy Holligan (nocaut técnico en 5).

Con esa ayuda, hasta antes de perder lo invicto en su primer combate contra Frankie Randall el 29 de enero de 1994, Chávez había acumulado la friolera de 90 combates, con 89 victorias, un empate y 77 nocauts. Y en esa ruta había conquistado también los títulos pluma, ligero, superligero y medio-ligero.

Poco a poco, y apoyado desde luego en que JC demostró ser un peleador fuera de serie, King pudo construirle el nicho que tanto hacía falta al aficionado al boxeo en México. Y, más que nada, hacer de JC un ídolo --era una necesidad primordial del propio promotor.

Por ello,la combinación de los aciertos del pugilista y la propaganda de King, el apoyo de Sulaimán y la difusión por televisión, lograron proyectarlo como el noqueador popular, que no había surgido desde la época de Rubén Olivares.

De tal suerte, en sólo tres años, JC fue etiquetado como la superfigura del entarimado internacional, lo que no pudo conseguir en sus primeros 10 años como peleador excepcional.

Porque la verdad es que, a pesar de su contundencia en los cuadriláteros, JC nunca provocó el atractivo demoledor del carisma de otros boxeadores como el "Toluco" López, el "Ratón" Macías y el propio "Púas" Olivares, principalmente. Ha habido buena cantidad de monarcas mundiales mexicanos, pero carecieron del encanto mágico de la personalidad arrolladora.

Cincelar a un ídolo no es tan sencillo; en muchas ocasiones ni siquiera se logra mediante un meticuloso trabajo de mercadotecnia. Por supuesto, hay que contar con un par de factores combinados: un buen gladiador y la contundencia espectacular de su personalidad.

*Entrevista al "**Ratón**" Macías*

Raúl "Ratón" Macías es muy concreto al explicar este fenómeno:

—El ídolo nace desde que nacemos. Lo demás es puro cuento. Ya se nace con carisma.

Y agrega:

—Como Dios me dio a mí un conejito que me dio la torta para mi familia, yo fui el elegido de Dios para cumplir un destino. Nadie me enseñó a boxear. Así nací.

Va la pregunta directa, como diría el propio "Ratón", un derechazo:

—Y JC Chávez, ¿es ídolo?

—Es muy difícil que te conteste la pregunta, porque si la contesto bien o la contesto mal, se presta a suspicacias. Eso te lo puede decir la gente del box.

—Usted es gente del box...

—Me refiero al aficionado. Julio es un superdotado, definitivo. Ha ganado tres campeonatos como nadie lo ha hecho. Pero vamos a ver: es el tiempo el que te da la razón. Y no podemos hacer comparaciones. Él ha aprovechado su época, aunque mis tiempos fueron muy difíciles.

Se refiere a que las puertas de las grandes bolsas y el éxito internacional estaban prácticamente cerrados para el peleador mexicano. Comenta que tuvo que llegar el promotor estadounidense de origen griego, George Parnassus, para abrirlas.

—En aquel entonces, en Estados Unidos importaban los combates de peso welter para arriba. Los chicos no importaban. Pero había muchos filipinos, y a Parnassus se le ocurrió que tendrían en los mexicanos magníficos contrincantes. Y comenzamos a pelear en el Olympic Auditorio de Los Ángeles y en el Cow Palace de San Francisco.

Lamenta que eran prácticamente nulas las oportunidades para disputar títulos mundiales. Había sólo dos organizaciones: la europea y la NFB estadounidense.

—Por eso, qué bueno que esté un mexicano al frente del Consejo Mundial de Boxeo. Si alguien como José Sulaimán hubiera estado en mi tiempo, yo habría disputado el título mundial gallo varias veces y me hubiera metido buena lana a la bolsa.

También señala:

—Yo llené la Coliseo, la Arena México, Cuatro Caminos (El Toreo, en Naucalpan) y la Plaza México aquella inolvidable noche del 26 de septiembre de 1954, cuando le gané por decisión a Nate Brooks. Y hasta se quedó gente afuera. No estaba el Azteca, por eso no lo llené. Mira nada más: récord de cincuenta y cinco mil boletos para llenar la plaza más grande del mundo, que se vendieron en sólo ocho horas.

—¿Gracias a su mánager y a la Virgencita de Guadalupe?

—Bueno, yo siempre he creído en la Virgencita, pero no en todos los mánagers. La verdad fue que lo del mánager lo dijo un peleador llamado Tomás Castillo. Todo se originó cuando su mánager, el "Cuyo" Hernández, le dijo: "Oye, cuando te entrevisten, de vez en cuando échame una flor". Y en una entrevista con Paco Malgesto, dijo la frase aquella de "Todo se lo debo a mi mánager".

Era el "Ratón" un verdadero ídolo surgido del clamor popular:

—En mis peleas la gente estaba pegada a la radio. Y me platicaban que cuando ganaba, la gente salía en la noche, sobre todo en mi barrio, Tepito, y ¡rájale!, le pegaban a los postes con martillos, "¡ganó el 'Ratón!', ¡ganó el 'Ratón!'"...Y era impresionante cuando regresaba de algún combate: ¡cómo me recibía la gente!

Y agrega:

—Cuando yo ganaba, todo México gozaba, y cuando perdía, sufría conmigo: las viejecitas, las señoras lloraban. Cuando ganaba iban a la Basílica a dar gracias. Era una idolatría esa tan bonita la del "Ratón", que de verdad qué bueno que estoy bien para contarlo.

—Y ese fenómeno de "idolatritis", ¿no lo ha generado otro boxeador...?

—No. Todavía voy caminando por la calle y parece que voy en campaña...

—¿Ni en su época cuando alternaba con José "Toluco" López o el mismo Ricardo "Pajarito" Moreno?

—Éramos muy diferentes. Yo creo que la gente me quería más porque veía mi comportamiento fuera del ring. Y es que los boxeadores tenemos una maña, de que si ganabas o perdías, te ibas a chupar. Yo, después de una pelea, me dedicaba a descansar, a reponerme.

Asimismo, siempre estaba atento a promociones, como la más popular al lado de Pedro Infante, para reunir fondos para la Basílica de Guadalupe.

—Sin embargo nunca se prestó para la pelea que entonces pedía la afición: contra el "Toluco".

—¡Qué pasó...! Yo nunca la eludí. La verdad es que el promotor me daba cien mil pesos y yo pedía doscientos cincuenta mil. No me los dieron y entonces no hubo pelea.

Y no le merece más comentarios el "Toluco", como tampoco Rubén Olivares, quien se lanzó a una diputación por el difunto Partido Socialista de los Trabajadores (PST).

—Ni siquiera su gente votó por él... Y ahora quiere volver al PRI y eso no se vale.

Entrevista al "Púas" Olivares

Desde su taller, donde hace algunos trabajos de madera, el "Púas" mantiene su buen humor.

—Qué cambiazo, campeón...

Ríe porque la vida, siempre en tiempo pasado, carece de remedios. Mueve la cabeza:

—¡Jijo...! Los del PST me iban a tocar la puerta todos los días a las diez, once de la noche, ¿me aviento?, ¡cómo no! El partido de Talamantes Aguilar... ¡uuuy!... el Rafael...

Ja, ja, ja.

—Perdiste, ¿no?

—Totalmente: por nocaut.

—Pero Rubén, después de ídolo, como dice el "Ratón", ¿volviste al redil?

Olivares está enfundado en una manchada camiseta azul, *short* y huaraches, en un taller de cinco metros cuadrados, acompañado de una cafetera de cobre. Enfrente, otro cuarto con piso de cemento y paredes desnudas, de la misma dimensión en la que trabaja el ex campeón. Su empleado talla en un tronco la imagen de la Virgen de Guadalupe.

Allí, en esa planta baja de la calle de Atenco 37, colonia Impulsora —por uno de los últimos rumbos del oriente de la capital—, Olivares diluye su calidad de ídolo. Está haciendo una mesita-tocador blanca con policromías —dice— de flores y tallos...

Y así, al menos lo que muestra, son sus trabajos, porque en esta colonia "es lo que más se vende".

—¿Así?

—Sí, blanca, con flores de colores. Y espejo.

Antes, ese supercampeón conquistó el título mundial de los gallos el 22 de agosto de 1969, y conmovía con su desparpajo natural, sus loqueras y extravagancias, al mundo del boxeo, sin temor a moralistas ni beligerantes.

Este penúltimo ídolo nació el 14 de enero de 1947 en Iguala, Guerrero, contrariamente a lo que se dice; que si fue en Tepito o en la Bondojo. Rubén radicó en México desde que tenía cinco años.

Fue el ídolo que la gente quería, y que él mismo disfrutaba porque el dinero le daba de todo lo que había carecido. Ahora, por ejemplo, ignora si una de sus primas —le dicen "La Chinchal"— se quedó con la hectárea que le dejó su padre como herencia y que su primo Ernesto dice que le cuida el predio: "Ese cabrón que me llevaba cuando yo estaba muy chico a montar a los zorros. ¡Híiijole, y yo me aventaba...!"

Desde que era campeón, Rubén tenía un restaurante-bar con ring adentro, llamado *Bradley's*, en la Pacific Avenue, en el 6310 de Hautington Park, en Los Ángeles. Finalmente, perdió la licencia, cuenta.

—Ni lo gozaste...

—No, ¡síí! Tenía mariachi y un ring allí. Y luego, ¡denle de cenar a todos!, yo pago...

—Así ganarías...

—No, no era eso. No... está bien, está bien: cada pelea llegaba yo y ¡órale!, tragos para todos.

—Y el ídolo, ¿dónde quedó?

—Pos aquí mi buen, sólo que ya no peleo.

Las reminiscencias nunca, en apariencia, lo apabullan, porque admite que "ya me robaron mucho, incluso aquí, los políticos en la colonia la Impulsora, tres lotes". Y a pesar de haber perdido otras tantas cosas, como el viaje de la Bondojo a Lindavista, o de Los Ángeles al D. F., "por lo pronto, pos me chingo tallando madera... y a seguir con los cuates, ¿qué más?"

Podríamos hablar, entonces, de la dialéctica de los campeones: el "Ratón" Macías, un ídolo impecable en su conducta, con penurias económicas porque el PRI no le ha dado su lugar, a pesar de que fue suplente de diputado. Y el "Púas", ganador de miles de dólares, más allá del bien y del mal, lo que le valió perder gran parte de su patrimonio porque, como dice:

—Pa' que la hacemos gacha. Ya, ¿no?

Pues sí, JC es, en cierta forma, un heredero de dos vertientes: del "Ratón" y del "Púas". Chávez sería, pues, un hijo natural del proceso dialéctico de la vida pugilística.

Pobres unos, ricos otros, exitosos todos a su manera, pero él abochornado, convertido en una síntesis de la vida cotidiana y del cuadrilátero. El ídolo que sufre. Con todo el bienestar que le han otorgado su esfuerzo, sus cuates y la vida.

No se trata sólo de arrancarle alaridos a las gargantas de los aficionados. El alarido, la emoción del público debe salir desde el fondo de su pasión para ser auténticos.

Entretanto JC, peleador incuestionable por méritos propios, ídolo porque todavía llegó a tiempo, y con el apoyo de sus amigos poderosos, las promociones de Don King y el aval de José Sulaimán, contará con un templete de retiro de buena factura.

Es lógico pensar que esta relación de Chávez, King y Sulaimán —claro, mientras el peleador no se descobije mucho— llegará a un final feliz cuando entre todos decidan su adiós.

Total, a granel le dieron lo que necesitaba: el maquillaje necesario para verse bonito en el aparador histórico, para ubicarlo en el sitio de honor que pugilísticamente merece: el de un gran campeón.

Ignora la gente si lo merece o no.

5. Nada es eterno

Cuando JC aseguró que reconquistaría la corona superligera, pensaba en acabar a Frankie Randall.

—Lo voy a noquear —decía antes del combate.

Pero no fue así. Por el contrario: todo resultó tan confuso como cuando empató ante Pernell Whitaker.

Desde que venció a Héctor "Macho" Camacho en Las Vegas el 12 de septiembre de 1992 y retuvo el título de peso superligero, dio la impresión de haber perdido la motivación de seguir siendo el dueño del ring.

Confiado en su enorme capacidad para resolver sus peleas en cualquier momento, pensó que podría dedicarle ratos más amplios e intensos a su vida social, a sus compromisos con autoridades políticas y a desafanarse de la supuesta esclavitud que para un veterano pugilista implica conservar su condición física para retrasar su retiro y guardarse unos dólares más en los bolsillos.

Pero hay que pagar las distracciones.

Y su primer recibo le llegó —y tuvo que pagarlo— cuando empató contra Whitaker y, posteriormente, con su primera caída, su primera derrota, su primera falla en la defensa de su corona... después de 14 años de batallar intensamente.

Luego comienza a aparecer en la historia de toda relación deportiva, la línea de advertencia que estipula el tiempo para cada actividad en la vida.

Porque, así como debe llegar el desenlace, también existió un prodigioso pasado, adornado con la satisfacción de la victoria y la sensación casi eterna de poder que suele embelesar a los grandes del cuadrilátero.

Y JC ha sido uno de los más grandes en la historia del boxeo nacional.

Pero antes le llegó ese momento en que plegarse a la realidad es fundamental.

Durante su carrera acumuló cinco campeonatos mundiales en tres categorías: el título de peso super-ligero del CMB, el *junior welter* (superpluma) de la FIB y las coronas de peso ligero de la Asociación Mundial de Boxeo y del CMB, así como la corona pluma del CMB.

En su trayectoria, Chávez se enfrentó a tres principales y dificilísimos adversarios: Frankie Randall, Pernell Whitaker y Meldrick Taylor.

En ese orden.

El 29 de enero de 1994, ante Randall, sufrió no sólo su primera derrota en 91 combates, sino la gran ofensa para un invicto, un superestelar del cuadrilátero: caer hacia atrás, el culo sobre la lona, sin equilibrio, indefenso... su primera vez.

Durante toda su vida, salvo aquella derrota como amateur en los inicios de su carrera, Julio César no había vuelto a sentirse tan indefenso como aquella noche contra Randall, en el Grand Garden del hotel MGM de Las Vegas.

De acuerdo con la versión de Don King, Chávez estaba frente al contrincante más difícil de su carrera. Randall era, hasta aquella noche, el retador número uno del CMB.

Narra King lo ocurrido aquella velada:

> Chávez no estaba haciendo su pelea; desde un principio fue obligado a intercambiar puñetazos con su fuerte contrincante.

Y agrega:

> En el undécimo asalto, el árbitro Richard Steele le descontó a Chávez el segundo de dos puntos por golpes debajo del cinturón.

Pero luego King hace una observación muy particular:

> Distraído por la llamada de atención del réferi, Chávez bajó la guardia y recibió un derechazo que lo envió a la lona por primera vez. Por orgullo, Chávez regresó bramido (*sic*) en el duodécimo asalto, solamente para ser derrotado por una decisión dividida.

JC siempre deploró el arbitraje. Estaba seguro de que al habérsele descontado dos dudosos puntos, y a pesar de su caída, al menos podría haber alcanzado un empate, para continuar con su campeonato mundial.

Antes de esa pelea, el 10 de septiembre de 1993, sesenta y tres mil —la segunda concurrencia más numerosa en escenarios bajo techo—, asistentes al Alamodome de San Antonio, Texas, fueron los testigos de uno de los más riesgosos combates que JC tuvo que librar. Pernell Whitaker era un rival muy poderoso, al grado que King promovió el pleito como *The Fight* (La pelea).

Por aquel entonces se cuestionaba la conducta de Julio César.

Se decía que en sus últimos combates había perdido velocidad y poder, que ya no establecía el mando en el ring, que entrenaba casi como para exhibiciones y que su preparación física era deficiente.

Se había dedicado, decían en algunos medios de comunicación, a participar en constantes conferencias de prensa, actos sociales y políticos, a posar en revistas eróticas con muchachas —¿modelos?— desvestidas o en bikini, y a llevar la vida bien, muy ligerita, ligerita.

Para 1994, los planes de JC con Don King contemplaban un paquete de 5 peleas que le permitirían obtener 20 millones de dólares.

Claro, incluida una derrota eventual. Como ocurrió.

El mánager de Chávez, Cristóbal Rosas, advertía, antes de la pelea con Randall, que uno de los problemas centrales de JC "es no saber decir no". Y afirmaba:

> Su vida se ha tornado agitada. Lo presentan aquí y allá. Mucha gente de todos los niveles se interesa en conocerlo y estar con él, lo que hace que no tenga descanso.

Cuando la pelea ante Whitaker, monarca de peso welter del CMB, Chávez atacó siempre, en tanto que el monarca estadounidense ejecutaba un baile en el cuadrilátero para eludir los golpes del mexicano.

Sin embargo, la agencia francesa AFP cuestionaba la decisión de empate establecida por los jueces. El 11 de septiembre del 93, envió un despacho a todo el mundo que decía:

El encuentro quedará en su historial [de Chávez] sólo como un empate que dejó a salvo su trayectoria invicta. Pero, además de sus propios asistentes y de los dos jueces que determinaron ese fallo, aquella noche del viernes nadie más compartió esa decisión en el Alamodome.

Y hasta hubo un análisis computarizado de la pelea. La misma agencia noticiosa registró:

> Whitaker tiró y conectó casi cuatro *jabs* por cada uno de Chávez (397/130 *vs* 126/38) e hizo blanco con el mismo número de golpes de poder (181 *vs* 182).

Se dijo entonces que "la salvación del gran campeón mexicano la noche del viernes fue un tanto providencial", más que cuando noqueó a Taylor en el último asalto gracias a un devastador nocaut:

> Un juez inglés y otro suizo sumaron en sus tarjetas igual cantidad de puntos para ambos peleadores, con 5 asaltos ganados y dos igualados por bando. El tercer juez, el texano Jack Woodruff, vio ganar a Whitaker 115-113.

Por cierto que José Sulaimán, presidente del CMB, emitió una enérgica protesta porque ninguno de los jueces en la pelea era mexicano, y sobre todo porque la Comisión de Las Vegas, sin consultar al CMB, había autorizado al texano.

De cualquier manera, cuando se enfrentaron ambos pugilistas para definir cuál era el "mejor libra por libra", y terminaron empatados, Whitaker mantuvo su corona welter y Chávez la superligera.

Pero quedaron dudas.

Todavía existía la posibilidad de que el mexicano recuperara la credibilidad, luego de haber logrado nocauts contundentes contra los "bultitos" Mike Powell en 4 rounds, el 30 de octubre de 1993 en Ciudad Juárez, y Andy Holligan en cinco, el 18 de diciembre, para retener en Puebla su corona superligera.

Pero fue hasta que JC perdió su título el 29 de enero de 1994 en Las Vegas, luego de la decisión en 12 asaltos, cuando los especialistas comenzaron a preguntarse si Chávez era el mismo o debía pensar en el retiro.

El médico de la Comisión de Box del Distrito Federal, Horacio Ramírez Mercado, quien ha seguido de cerca la carrera de campeones mundiales y la de JC desde hace casi 14 años, supuso que todavía podía aguantar dos años, pues no había sido golpeado durante los 12 rounds de sus 91 peleas.

—Es decir, tiene tiempo.

De ese punto de vista difería uno de los promotores mexicanos más serios del boxeo, Rafael Mendoza:

—Lo que ha ocurrido hasta ahora a JC es un proceso de deterioro de su capacidad; ya no posee los mismos reflejos.

El presidente de la Comisión de Box del Distrito Federal, licenciado Juan José Torres Landa, estimaba que la derrota de Chávez se debía a una mala preparación y a una deficiente condición física.

Este punto de vista lo compartía, por ejemplo, el ex campeón de peso ligero José Luis Ramírez, quien reconoció que las facultades de Chávez habían disminuido: "Ha perdido rapidez y poderío".

Incluso en Panamá, el columnista de deportes Bienvenido Brown, del tabloide *El Siglo*, aludió a la teoría de que mientras Chávez peleara bajo la promoción de Don King, "su récord de invicto" estaba protegido. Y citó el caso de Pernell Whitaker para establecer que el exceso de confianza de JC, subestimar al contrario es el peor error de un superpugilista:

Representa un disparate mayúsculo, porque no hay enemigo pequeño. Es criticable que el juez mexicano Abraham Chavarría le diera la pelea a su compatriota. La esquina de Chávez estaba confiada en que papá King cuidaría los mejores intereses de su hijo Julio César.

Y de alguna manera, la oficina de King ha dicho que su hijo mexicano, el "Dr. Chávez", quirúrgicamente destroza a sus oponentes con precisión puntual: es un pegador devastador del cuerpo de un rival, el que muchas veces debe retirarse porque no puede aguantar el castigo.

Rodeado de un aparato publicitario y protector de su imagen —Don King, asociado ahora con Televisa, y el presidente del CMB, José Sulaimán—, Chávez vivió uno de sus momentos más difíciles cuando el 17 de marzo de 1990 se enfrentó a Meldrick Taylor en la función denominada *Trueno y Relámpago*, por el poder del mexicano y la velocidad del estadounidense, para unificar el campeonato del CMB y la FIB.

En el último round, cuando faltaban 12 segundos para terminar el combate, Chávez estaba perdido en las puntuaciones. Sin embargo, una derecha del sonorense liquidó a Taylor.

De acuerdo con el equipo de Chávez, ese combate había sido la más espectacular demostración de valentía y determinación por parte de ambos boxeadores.

Se atrevió a decir Don King:

—Chávez y Taylor presentaron la pelea más excitante en la historia reciente del boxeo.

A partir de entonces, JC, sus apoderados y sus patrocinadores pensaron que el sonorense era invencible. Que podía ganar, en cualquier momento de la pelea, con su mano derecha.

Pero los hechos demostraron lo contrario.

Los "bultos" que le colocaron en el cuadrilátero tuvieron como fin mantener una imagen ganadora.

Después del "Macho" noqueó en 3 asaltos a Bruce Pearson, en Culiacán, y en 6 a Marty Jakubowski, en Las Vegas, escenario donde Don King establecía sus negocios.

Debemos recordar que en 1993 le inventaron a Chávez una pelea denominada *Póker de ases*. Y peleó con otro "bulto": Greg Haugen. El escenario fue el Estadio Azteca.

Dicen las informaciones de Don King:

> Tres días antes de la pelea, Chávez practicó en público en el estacionamiento del Estadio Azteca. Vinieron a verlo veinticinco mil fanáticos incluyendo al presidente Carlos Salinas de Gortari, quien voló en helicóptero para ver el entrenamiento y expresarle los mejores deseos a su "tesoro nacional".

JC juró al Presidente, según la información de Don King, "que la pelea no iba a durar la distancia".

Ya sobre el cuadrilátero, según Don King Promotions, en el quinto asalto Chávez se apuntó 23 golpes incontestables, lo que hizo que el árbitro Joe Cortez decidiera parar la pelea.

Pero antes de todo esto, Chávez peleó contra Héctor "Macho" Camacho, en pelea titular, en el 92, que los fanáticos esperaron seis años para ver.

Muchos expertos consideraron que la pelea era extemporánea, que no se había celebrado en su momento. El combate lo promovió Don King como *La última gloria*.

Las cifras oficiales arrojan que diecinueve mil cien espectadores asistieron al combate en el auditorio Tom and Mack Center de la Universidad de Las Vegas, para presenciar la abrumadora victoria del mexicano. El portorriqueño Camacho había sido tres veces campeón.

Regresando a esta cuesta abajo en la carrera de JC —*cuesta abajo en mi rodada*[11], diría el tanguista—, con la preocupación por la pelea contra Randall, The *Revenge, The Rematches*, el equipo de Chávez tomó medidas drásticas con el propósito de que el mexicano llegara en estado óptimo.

Y determinaron que JC necesitaba un mánager sustituto para que en la revancha usara una táctica más moderna y eficaz para contrarrestar al contrincante.

El 15 de marzo de 1994 la información de la agencia Notimex decía:

El púgil mexicano Julio César Chávez anunció hoy en Toluca que contratará al experimentado entrenador Emmanuel Stewart. Su trabajo ha logrado hacer campeón a Tommy Hearns, y haber devuelto el campeonato mundial a Holyfield. Este peleador, en mayo del 94, se retiró a causa de un problema cardíaco.

Los entrenadores de JC, el indomable Cristóbal Rosas y el profesor Daniel Castro, siguieron en el equipo junto con el nuevo entrenador.

Desde luego, la gente podría pensar que Rosas fue el mánager que durante años condujo a Chávez a la victoria; y que se había vuelto viejo, y que ya no servía. Pero existe aquel dicho de que más sabe el diablo por viejo que por diablo.

No obstante, en el mundo del box, como en la práctica de cualquier deporte, el mejor consejo cuando llega el inevitable final es el de la prudencia.

Cristóbal Rosas fue, y siguió siendo, fiel a su pupilo. Ése, "El JC", su muchacho de siempre, ahora pretende terminar sus últimos días con un entrenador extranjero: pues "que le vaya bien".

Uno de los cronistas deportivos más conocedores en la historia del boxeo, Víctor Cota, escribió:

Dentro de todo el descontrol —particularmente mental— que provocó en Chávez la derrota, primera en su carrera, está desde luego no poder razonar adecuadamente... y, según parece, no tener cerca de él a alguien que se lo haga notar.

Este especialista no consideraba que Julio debiera cambiar de mánager:

Julio no requiere un cambio de entrenador, sino un cambio en su vida.

Habla de la desorganización en su cotidianidad, de apatía, conflictos recurrentes en casa y fuera del ring.

...a pesar de su físico privilegiado... la profesión ha empezado a cobrarle su factura. Esa vida contraria a la que debe llevar un boxeador, un campeón, así como su edad y el número de batallas sostenidas contra los mejores hombres de cuatro divisiones... han iniciado su desgaste.

Pero para JC, la hora final no había llegado todavía. Un poco por convicción y otro poco debido a las circunstancias. El retiro tendría que esperar. Y a pesar de que todavía lograría ganar algunas de sus muchas batallas dentro y fuera del ring, la cuesta abajo había comenzado.

6. El dinero no es la vida

Debe de ser muy triste para un millonario encontrarse en una penosa situación de endeudamiento. Julio César Chávez comenzó la declinación de su carrera con un par de tormentosos rounds financieros.

El primero lo libró contra la Arrendadora Bancomer de Culiacán y el más arduo, y peligroso, lo sacó adelante por piernas ante el fisco nacional.

Luego de su trayectoria de dieciocho años y medio en el boxeo, JC comenzó a lamentar un precio que jamás pensó pagar: en 1994 se le fueron acumulando dificultades.

Estrenó el año con su primera vez en la lona y, consecuentemente, su primera derrota por decisión ante Frankie Randall. Así cerró enero.

En su afán de mejorar las condiciones de sus bienes raíces, el excampeón solicitó un financiamiento de 10 millones de pesos a la banca. De acuerdo con el contrato, cubriría el adeudo con pagos mensuales de 265 mil pesos. Chávez recibió el dinero en diciembre del 93, pero el convenio se firmó en febrero.

Su entonces apoderado, Daniel Viesca Monsiváis, sostiene que hubo un acuerdo verbal de Chávez con Bancomer: el 17 de febrero se pagarían los dos primeros meses del año.

Sin embargo, un día antes, "extraoficialmente", dijo el apoderado, el banco elaboró una demanda contra la empresa "Chávez-Carrasco" —apellidos del peleador y su esposa—, cuyo presidente del Consejo de Administración es JC.

En esos ardides abusivos que luego se permiten los bancos ante la mirada perdida de las autoridades, la institución de crédito negó a Chávez la posibilidad de pagar en efectivo y con intereses normales, gracias a la intransigencia del abogado jurídico de Bancomer, Luis René Arce Güereña.

De inmediato, la empresa de JC interpuso una demanda por fraude contra esa banca. Chávez había solicitado pagar el resto del adeudo —6 millones 200 mil pesos—sin cargos moratorios y con base en intereses normales.

El banco, en una primera almoneda, puso en subasta algunas de las propiedades de JC. Entre ellas, su casa en Cerro de la Campana 360, en la exclusiva colonia Colinas de San Miguel; una de sus dos modernas gasolinerías, y tres lotes residenciales junto a su casa. El adeudo, pues, lo "estiró" la arrendadora a 16 millones y, no conforme, pretendía despojarlo de dichas propiedades, cuyo valor real llegaba a los 40 millones, siendo que Chávez debía sólo 6 millones 200 mil pesos.

El asunto adquirió manchas de tintero viejo cuando se habló de la falsificación por parte de la arrendadora de la firma de Chávez y de su hermano Ariel, en la que aceptaban las condiciones del banco, incluido el testimonio —falso a decir de los abogados de Chávez— del notario público Horacio Quiñones, quien aseguró que el peleador firmó en su presencia. Además, supuestos abogados de la institución bancaria fueron a ver a la esposa del boxeador para solicitarle un millón de pesos por honorarios con el fin de arreglar el problema. No les entregó nada, por supuesto.

Nos dijo el abogado Salvador Ochoa:

> La arrendadora actuó con dolo. Y la prueba es que, finalmente, nunca pudo subastar los bienes el 19 de agosto del 95, como había anunciado. Estoy seguro de que se hará justicia, por supuesto.

Para mediados de septiembre de 1995, el Supremo Tribunal de Justicia de Sinaloa removió de su cargo al juez Ángel Antonio Gutiérrez Villarreal del Juzgado Tercero de Primera Instancia Civil, quien casualmente había fallado en favor de Bancomer para el remate de los bienes "incautados" a JC, de acuerdo con la querella 5325/95.

El caso finalizó el 6 de octubre de 1995, cuando ambas partes desistieron de sus demandas y Julio César le entró al Ade —Acuerdo de Apoyo a Deudores— y liquidó sus diferencias. Se habló de 11 y medio millones de pesos, aunque la banca no ofreció mayor información.

Pero, antes de salir de este lío, JC estaba enredado ya en otro más grave, porque se trataba, según la Secretaría de Hacienda y Crédito Público, de presunta "evasión fiscal".

Así, antes del fin de este conflicto con Bancomer, Julio César comenzó a padecer desde principios de abril lo que calificó como "hostigamiento fiscal".

—¡Uf!, otra batalla más fuera del cuadrilátero.

Cuando Chávez estaba en Las Vegas para su combate del 8 de abril contra el italiano Giovanni Parisi, se enteró de que, en su ausencia, agentes de la SHCP "catearon" varias de sus propiedades y las de algunos parientes.

Chávez estaba furioso. Consideró un atropello que se aprovechara que estaba fuera del país para cometer lo que consideró abusos de autoridad e intimidación a familiares.

Recién llegado de Las Vegas, luego de vencer a Parisi, declaró sumamente indignado:

Todo lo que he ganado es limpio. Ya estoy fastidiado de tanta hostilidad. Yo no sé qué pretenden que van a encontrar. Ya lo he repetido hasta el cansancio: ¡ni que fuera narcotraficante!

Tomó un respiro y tranquilizándose, agregó:

Cada sexenio se meten a mis casas a ver qué le van a sacar a Julio César Chávez. Lo que he ganado ha sido a madrazos —hasta entonces 96 peleas—. Y todo lo he traído a México, a Culiacán. Lo he invertido y he creado muchas fuentes de trabajo. Podría decir que más de ciento cincuenta familias dependen de mis inversiones. También estoy cansado de que se me involucre con gente que está fuera de la ley. Ya me cansé de que me investiguen... Que castiguen a quien deban castigar.

Pero Chávez tendría que esperar la más larga función de este desventajoso combate fuera del encordado, en primer lugar porque duró de abril de 1995 hasta julio del 97; y segundo, porque el rival era de peso y jerarquía superiores.

El 6 de agosto de 1996 Hacienda informó que practicaba una auditoría fiscal, por evasión de impuestos superior a los 100 millones de pesos. En realidad el monto era de poco más de 40 millones de pesos.

A Chávez le ha parecido una herejía que alguien como él, que ha puesto "en alto el nombre de México", haya sido asediado frecuentemente sin argumentos verdaderos. Sobre todo, "con la mamada de que tengo amigos que son narcos... ¡imagínate si tuviera que investigar a mis amigos, a mis vecinos y a mis seguidores...! Me *cai* que sufriría delirio de persecución, bato".

Se vio obligado a incluir un escrito en el Juzgado 37 Civil en el Distrito Federal —expediente 1115/96—, en el que cita en la letra "g":

Sobre la nota dolosa y supuesta vinculación con los Arellano Félix, sobre el particular existe un expediente judicial: el entonces procurador general de la República, Jorge Carpizo, insistió ante el presidente de la república Carlos Salinas de Gortari, en señalarme como un narcotraficante más de la banda de Arellano Félix, por lo que se dio luz verde y se inició una averiguación; este procurador me hostigó obligándome a comparecer para una declaración ministerial en una casa de la Colonia del Valle...

Este mismo procurador que tuvo en su poder a los Arellano Félix en la Nunciatura Apostólica y nunca los tocó, me obligó a someterme a un interrogatorio de casi nueve horas; se me imputó además que tenía propiedades en Mazatlán y en Tijuana, se me exhibieron escrituras y contratos de arrendamiento donde aparecían mi nombre y una firma; casualmente la PGR nunca tuvo el cuidado de verificarla y cotejarla; todas las firmas eran falsas y obviamente no tengo ni he tenido nada que ver con los Arellano Félix.

Sin embargo, reconoce:

A Francisco Arellano Félix lo conozco desde hace muchos años; pero no es mi socio ni realizo las mismas actividades a las que se dedica. Nunca ha formado parte de mi equipo de boxeo, tal y como lo declaré ante la PGR, repito, lo conozco, como también conozco a presidentes, ex presidentes, periodistas, empresarios, artistas.

Para JC el problema es más grave porque los agentes fiscales revisaron propiedades de su familia sin dar explicaciones y, por lo general, sin órdenes oficiales. Lo que más le molesta es que su madre se ha convertido en uno de los blancos socorridos de "esos abusivos".

—Sólo falta —dice molesto y con ironía—, que un día se les ocurra meterse a la recámara donde dormimos

Amalia y yo. Es que ya ni la chingan... A pesar de todo, sigo invirtiendo aquí, en mi país, y dime, ¿acaso estoy cometiendo un delito?

Pero la SHCP insistió en otra de sus persecuciones, y el peleador pensó que se trataba de una caza de brujas, con base en la supuesta consigna fiscal "de lo perdido lo que aparezca".

El caso es que Hacienda detectó fallas en la declaración porque, según parece, los contadores de Chávez, Daniel Viesca Monsiváis y Jaime Vicente Garate Ureña, hicieron las cuentas del gran capitán y hasta cobraron un dinero extra a la Secretaría como reembolso de los impuestos.

Su malestar lo animó a pagar en diarios el 8 de agosto una carta abierta dirigida al presidente Ernesto Zedillo Ponce de León y a la opinión pública, de la que cito algo de lo más relevante.

Primero comenta su decisión de demandar al diario *El Financiero* de la Ciudad de México:

> Por las graves imputaciones, afirmaciones, fotografías y divulgación de opiniones, donde se me presenta ante la opinión pública como un narcotraficante, lavador de dinero, publicación periodística dolosa donde se me trata como si fuera uno de los más peligrosos delincuentes del país...

Y sigue:

> Ahora que si fuera un delincuente o un vicioso, desde cuándo estaría en la cárcel y nunca hubiera tenido una carrera boxística. Parece que mi único delito es el haber salido desde abajo y haber logrado la trayectoria boxística ya conocida, que incluso hasta eso quieren manchar (...) A estas alturas es mucho más importante mi familia y mi dignidad, por lo cual no tengo duda en defenderme sin reparo.

Pero el que fue un sainete con Hacienda habría de continuar.

El 2 de septiembre de 1996 la SHCP giró una orden de aprehensión contra Julio César Chávez, Daniel Viesca Monsiváis y Jaime Vicente Garate Ureña, por defraudación fiscal, por un monto superior a los 40 millones de pesos. Chávez culpó a sus dos contadores.

Ese mismo día, éstos se presentaron amparados ante las autoridades judiciales de Culiacán. Viesca aseguró que se enteró del asunto por medio de la prensa, pero que no había recibido ningún requerimiento legal, y dijo ante el juez primero de distrito, Víctor Hugo Mendoza Sánchez, que no presentaría ninguna querella por difamación contra Julio César.

Ante las persistentes insinuaciones de Chávez sobre hostigamiento de parte de las autoridades fiscales, el entonces secretario de Hacienda, Guillermo Ortiz, puntualizó en un programa de radio:

> Nosotros no lo convertimos en delincuente; a este deportista lo admiro mucho; he sido seguidor de Julio César Chávez, como muchos otros mexicanos. Aquí estamos hablando de un caso conocido, que Julio César, ídolo del box, ganó mucho dinero en sus peleas y simplemente estuvo reportando al fisco una cantidad mucho menor; es más, también presentó facturas falsas y subdeclaró ingresos que corroboramos por otro lado.

Para el 16 de octubre de 1996, los abogados de Chávez habían ofrecido a la SHCP un cheque del Bank of América, por uno y medio millones de dólares.

El asunto se empantanó porque entonces la recaudadora aseguró que JC no tuvo la voluntad de elaborar una "declaración complementaria" y que la Secretaría no estaba en condiciones de hacerle "rebajitas" ni recibir "abonos". Chávez aseguró que pagaría; pero expresó que en esos momentos carecía de liquidez. Todo esto se vino abajo al final de esta telenovela fiscal.

Las autoridades se quejaron de que Chávez había estado ejerciendo presiones morales en la prensa, seguramente asesorado por sus consejeros legales.

Poco a poco, Julio César fue desistiendo de sus actitudes de perseguido:

—Voy a pararme bien ante el fisco para evitar el nocaut —dijo sonriendo...

Para eludir la acción penal, Chávez interpuso un amparo ante el Juzgado Primero en la ciudad de Cuernavaca. El juez Roberto Caletti Treviño se lo otorgó y el monarca tuvo que acreditar su residencia. Para ello había alquilado una casa en Leñeros 402, colonia Vista Hermosa, la cual, por cierto, nunca ocupó.

El 7 de noviembre el juez primero de distrito en Morelos suspendió la orden de aprehensión, aunque no definitivamente, justo un día después de que JC se reuniera con diputados de la LVI Legislatura en una cena donde los diputados priístas le reiteraron su apoyo.

De dicha reunión trascendieron tantas cosas, que difícilmente se podrían creer: que si le hacían algo, el pueblo de México se le echaría encima a Hacienda, y que por medio del representante chiapaneco se le entregó una foto del subcomandante Marcos para que Chávez se la autografiara.

Miramiramira[12]...

Lo que sí dijo Chávez a quienes lo consideraban protegido del entonces presidente, Salinas de Gortari: "¿Dónde estaba cuando Carpizo me quiso enlodar?"

De nuevo, un reclamo de Chávez, cuando alegó que no había ya más problemas una vez establecido el acuerdo con Hacienda; pero el 24 de enero de

1997, el juez segundo de distrito en Culiacán, Guillermo Loreto Martínez, giró orden de aprehensión contra su hermano Ariel, por defraudación de dos millones de pesos como administrador de una empresa alquiladora propiedad de JC.

Volvió a sus justificaciones patéticas:

—Me están crucificando sin tener ninguna pinche culpa...

Ya el penúltimo día de ese mes, renació el amor entre él y su expromotor King. En Miami firmaron por 4 peleas, con lo que podría recabar el dinero para ponerse a mano con Hacienda.

—Hicimos las paces y creo que le firmé hasta mi vida.

Al día siguiente entregó 800 mil dólares, sumados al abono de uno y medio millones de dólares y a otro posterior de 10 mil dólares. Fue el penúltimo de los pagos que haría a Hacienda. El último abono sería por otros 800 mil dólares.

El 10 de julio, con la entrega de 400 mil dólares más —por una prórroga que le fue aceptada—, JC pudo liquidar su adeudo. En total, de los 5 millones de dólares de adeudo original, se asegura que Chávez pagó 3 millones 200 mil gracias a las negociaciones.

Una batalla librada en su controvertido paso por la historia boxística.

7. Los brujos retozan en casa

Cada vez que el enjambre cotidiano lo atrapa, a Julio César lo invaden aquellas ilusiones que lo animaban cuando se inició en el pugilismo, cuando el horizonte era tan amplio que sólo anhelaba conquistar una generosa porción.

Soñaba finalizar su carrera con la alegría que comenzó. Despojarse —hace ademán de extraer con la mano derecha de su pecho— de los puñales que le han clavado en el corazón y que tanto lo han mortificado, a veces hasta la exasperación.

Para principios de 1998, JC se encontraba en una encrucijada: su probable retiro el día 18 de septiembre cuando se enfrentara en revancha a Óscar de la Hoya en Las Vegas; sus desavenencias maritales y sobresaltos familiares, así como el acoso de temo-

Miguel Ángel González, JC y José Luis López "El Finito"

Don King y JC

José Sulaimán, Miguel Ángel González, Don King y JC

Rosendo y JC

José Sulaimán y JC

JC y Carlos Salinas de Gortari

Francisco Labastida Ochoa y JC

JC con su esposa e hijo

JC con su mamá y sus dos hijos

JC con sus hijos

JC en conferencia de prensa

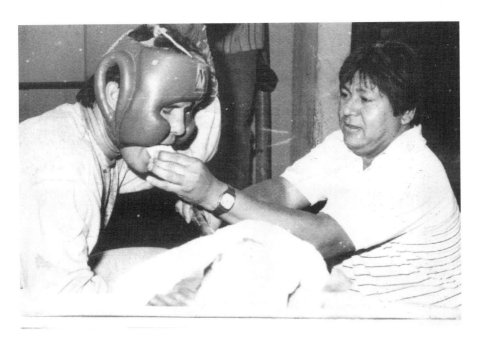

JC y Ramón Félix

Amalia, JC y Ramón

Amalia y JC. Los días felices

La esposa de JC en los días aciagos

JC y sus abogados

Don Rodolfo y doña Chabelita, padres de JC

JC con sus padres

JC con sus hermanas

Edificio de las oficinas de JC

Autos deportivos de la colección de JC

Uno de los más finos

Gasolinera propiedad de JC

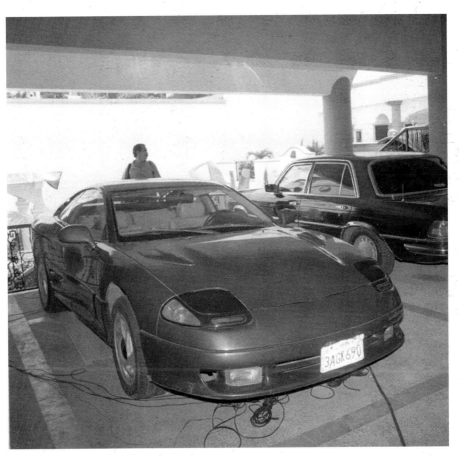

Más autos de la colección

El Corvette

Marco Antonio Muñiz, su hijo Jorge, y Marco Antonio Solís
el "Buki" mayor con JC

res desde que descubrió que los brujos abrieron los ojos y salieron de los ductos del aire acondicionado de su casa. Lo atemorizó la idea de que pretendían conducirlo a la espesura de una bruma final.

Difícilmente podría marcarse el origen de los problemas que produjeron las rasgaduras emocionales entre Julio César y su esposa Alba Amalia; pero ya en 1993 surgieron las primeras sospechas de que sus relaciones habían dejado de ser lo suficientemente cordiales.

El ritmo de vida de un campeón mundial está condicionado por un mundo de oropel, de compromisos internacionales, del fastuoso y embelesante reino de la fantasía de las luminarias, las adulaciones del séquito de amigos, el coqueteo de las bellas mujeres, las espléndidas comidas y bebidas, en ocasiones las parrandas y todo lo que conlleva el poder de la fama.

La esposa tradicionalmente se queda enclaustrada en casa, padece con estoicismo y abnegación lo que el machismo define como uno de los papeles históricos propios de su condición. Pero cuando se niega a permanecer como una muñeca de la colección del coloso, sobreviene el conflicto.

Rebelión.

Y entonces nada puede ser satisfactorio para la Dulcinea alojada en la torre principal del castillo.

Alba Amalia y Julio César se conocieron cuando ella vendía tacos de caguama en una carreta en la playa.

> Yo tenía catorce años y él diecisiete, aunque debo confesar que él no me gustaba así como para *noviar*. Pero ya ve cómo es la vida: cinco años después, una vez que pasó por mi casa cuando estaba yo barriendo, me invitó a bailar. El caso es que ocho meses más tarde nos casamos.

La señora Carrasco confiesa que desde hace tiempo ella y JC no han tenido un buen matrimonio. La fama ha sido perjudicial porque, asegura, JC no atesora lo que tiene, aunque ha obtenido todo lo que ha querido.

Dice la esposa del peleador:

> Es que Julio César no le toma valor a las cosas... le sobra todo. Nos separamos porque yo ya no aguantaba. Sigo creyendo en él como boxeador, y aunque lo quiero mucho, no confío en él como marido.

El jueves anterior al 14 de junio de 1996 Alba Amalia demandó al excampeón superligero ante la Procuraduría General de Justicia del Estado de Sinaloa. Quedó registrada la demanda bajo el expediente 74/96, por lesiones.

La denunciante, se dijo, presentaba un hematoma en el pómulo izquierdo y escoriaciones en el cuerpo. No se ha comprobado la agresión. También se descartó otra demanda por los mismos cargos el 24 de octubre de 1995.

Le pregunto a JC a fines del 97:

—¿De veras, Julio, la ha golpeado?

—No. Una cosa es que le jalas un poco el pelo, una cachetadita —como también se la dan a uno porque en las discusiones la pareja se pone nerviosa, se desespera al no poder llegar a un acuerdo—, pero nada como para lastimar. Imagínate, si realmente la hubiera golpeado: la noqueo, oye.

El caso es que el licenciado Tito Trinidad Soto Higuera, director general de Averiguaciones Previas, aseguró que no se le aplicó a Chávez el artículo 41 del Código de Procedimientos Penales, que incluye sanción económica, el uso de la fuerza pública y el arresto.

A fines de noviembre de 1996, la abogada de Alba Amalia, Lucía Ayala de Moreschi, presentó en el Juzgado Primero de lo Familiar una querella contra el ex monarca en torno a la custodia de sus hijos.

Este señor hace un ejercicio irresponsable de la patria potestad sobre los niños. No les permite ver a su mamá y tampoco los lleva a la escuela.

Y le invierte los papeles:

> No debe sorprenderse de lo que esté pasando. Él mismo inició el conflicto, cuando envió la carta abierta al Presidente Zedillo y a la opinión pública, en la que acusa a su esposa de "ratera" y a mí de difamación. Yo lo único que he venido haciendo es defendernos de los ataques contra nosotras y la familia de Amalia. Él ha provocado esta problemática.

Aseguró la abogada que el 24 de octubre de 1995 presentó una demanda inicial. Sin embargo, la licenciada Ana María Alvarado, coordinadora de Comunicación Social de la Procuraduría de Sinaloa, desmintió que se hubiera interpuesto dicha demanda. Aseguró que ese día la familia Chávez Carrasco se presentó a la procuraduría para dialogar con el procurador Roberto Pérez Jacobo. Pero no por el asunto de las lesiones.

En octubre del 96, JC insistió en que "le prestaran" a los niños, para recibir su apoyo en la pelea que sostendría contra Joey Gamache el día 12 en el Caesar's Palace de Las Vegas. Asistió también Alba Amalia. En las fotos aparece la familia comprando en el corredor de ventas del famoso hotel.

El día 16, tuvo que presentarse en Toluca para declarar en torno del asesinato de su sparring Jesús "Bebé" Gallardo, ocurrido el 9 de abril en el Holiday Inn, Estado de México.

Alba Amalia no tenía muchas ilusiones por estar con su marido:

Yo no decidí acompañarlo. Vine a Estados Unidos para que el médico revisara a Omar, y aproveché para ver a Julio aquí en Las Vegas. Además, a mí no me gusta verlo pelear.

Es algo curioso: Alba Amalia se casa con un boxeador y le molesta su profesión. Es la queja de muchas esposas de pugilistas, quienes aducen que les duele que golpeen a sus maridos. Pero, entonces, ¿para qué casarse con un boxeador...?

Total: cuando es prácticamente imposible presumir de tener un buen matrimonio, resulta indistinto ser boxeador, obrero, ejecutivo, dueño de empresas, magnate, político, tianguista, dizque guerrillero, intelectual, miembro de alguna comisión de derechos humanos... ciudadano. Ninguna profesión o estatus laboral o económico garantiza la armonía familiar.

Ya el 1° de octubre Julio César comenzó a resentir tantos problemas, y confesó en conferencia de prensa en Las Vegas:

Sólo le pido a Dios que me dé paz. Volver a ser el mismo de antes. Quiero comenzar una nueva vida. Lo hecho ya está hecho, ahora quiero comenzar una nueva vida y mejores cosas.

Pero a mediados de noviembre se registró un nuevo problema. Su concuño, José Antonio Jacobo, acusó a JC de haberlo secuestrado y llevado a un domicilio abandonado, donde lo golpeó para que le revelara supuestas infidelidades de Alba Amalia.

Relató Jacobo:

A las 10:30 horas de ayer —12 de noviembre de 1996— manejaba mi carro cuando los guardaespaldas de Chávez me interceptaron, a bordo de un Cavalier rojo, con placas VFP29034. Fui llevado a una casa abandonada en la colonia Ferrocarrilera, al poniente de la ciudad. Allí Chávez me dio media hora para que le contara sobre la vida privada de Alba Amalia y me amenazó que si no hablaba, me iba a matar. Estaba completamente borracho, fuera de sí.

Cierto o no, el caso es que el concuño —casado con Lorena Carrasco, hermana de Alba Amalia—, prosiguió:

Hubo gente que vio el secuestro y le avisaron a mi esposa. El grupo armado me llevó primero a la casa de la madre de Chávez. Allí me bajaron y me subieron a otro auto donde me esperaba Julio. Y luego me trasladaron al domicilio abandonado donde había hombres armados con metralletas, quienes también me interrogaron. El hermano de Julio, Rodolfo, fue quien me rescató y me llevó a la Policía Judicial.

Ante esto, Chávez sostuvo que era una calumnia, una persecución más:

No me puedo explicar tanto problema más que como una campaña de mi esposa para desprestigiarme... Ahora resulta que soy secuestrador y golpeador. Jacobo es un drogadicto y un alcohólico con antecedentes. Sí, ese Antonio Jacobo es así en realidad: un golpeador, porque vive en casa de mi esposa y ha maltratado a mis hijos Julio César y Omarcito. Ellos ya lo denunciaron y atestiguaron contra él ante la Procuraduría de Justicia.

Los niños siempre han hablado bien de su papá y de su mamá. Sin embargo, se han quejado del "Tío Toño", quien los trata mal y hasta los golpea a veces. Y, desde luego, en casa de su abuelita Isabel, o en la de su padre, "nadie nos pega".

JC aseguró que interpondría dos demandas:

Una contra Antonio y otra contra la dizque reportera quien me acusa de haberla agredido. Por lo pronto, independientemente de tanta mentira para desprestigiarme, aprovecho mucho el tiempo entrenando en mi gimnasio —ubicado en el boulevard Emiliano Zapata—, para mi pelea del 6 de diciembre en Reno, contra Mickey Ward.

El 16 de noviembre, solo, sin abogados, Chávez se presentó, por voluntad propia, ante la Dirección de

135

Averiguaciones Previas de la PGS, para responder a los cargos de privación ilegal de la libertad, amenazas de muerte, lesiones y difamación.

Pero cuando el río está crecido, su recia corriente no se detiene tan fácilmente. Y como se trata de una batalla sin cuartel —o bien de escaramuzas espaciadas pero constantes—, la abogada de Alba Amalia interpuso otra demanda contra el pugilista —143/96—, porque éste la acusó de estar confabulada con su ex médico de cabecera, Sergio Sandoval, para hacerlo aparecer como enfermo mental.

Bajo esas acusaciones, Alba Amalia aprovechó la oportunidad para insistir en la obtención de la patria potestad de sus tres hijos, Julio César, Omarcito y Christian, quien es el único que vive con su mamá. El juez primero de lo familiar, Jorge Luis López Juárez, otorgó la custodia de sus tres hijos a Alba Amalia. Julio César sólo podría verlos los fines de semana y en vacaciones estarían un mes con uno y un mes con otro. El 10 de octubre de 1997, JC desobedeció la orden del juez y la policía municipal de Culiacán tuvo que intervenir. Amalia señaló que Julio tenía hasta el 24 de septiembre para que le entregara a sus hijos y por eso se apoyó en la fuerza pública.

A las 13:30 horas de ese día, la policía interceptó el automóvil donde viajaban los niños en compañía de su abuela. Minutos más tarde Julio llegó al domicilio de su ex esposa y sacó a sus dos hijos para

llevárselos a uno de sus domicilios en el fraccionamiento Colinas de San Miguel.

–Desde que empezó el problema me gusta estar solo...
pienso mucho, me agarra mucha tristeza y sentimiento
porque no alcanzo a comprender cómo es posible que
Amalia se haya portado así conmigo.
　–¿El divorcio es irreversible?
　–Definitivamente.
　–¿Ya no hay marcha atrás?
　–La verdad no.

Desde 1995, Chávez, casado por separación de bienes, quiso llegar a un arreglo para evitar tantos problemas familiares que han trascendido en todos los
medios sociales del pugilismo y en la opinión pública nacional.

Se habló de una indemnización para su esposa de
cien mil dólares, seis casas y algunos de los más de
veinte costosos autos de colección que posee.

Alba Amalia, como buena guerrera, no del cuadrilátero sino de la vida, en cierto sentido abandonada o colocada en un segundo plano por su esposo,
ha sido muy ruda y no ha querido negociar en términos económicos. Sin embargo, a decir de JC, tiene
más de seis propiedades que él le regaló, ganancias
que le permiten tener una cuenta en dólares en Estados Unidos, y otros beneficios generados por la sociedad a la que la invitó.

Colofón

Para el año siguiente (1998), JC no sólo no recuperaría el cetro superligero sino que también perdería la revancha ante De la Hoya por nocaut técnico. El 2 de octubre de 1999 sufriría lo que muchos consideraron "la peor humillación de su vida", al caer frente a Willie Wise, un ilustre desconocido, en un combate de preparación para recuperar el título.

Chávez admitió que no se había preparado, pero no desistía en sus intenciones de recuperar el título. Al respecto, Sulaimán comentó:

> Siempre que me pregunten si Julio César Chávez debe retirarse o no les responderé que ya llegó el tiempo de que lo haga"

Esto lo dijo el dirigente del CMB después de la segunda derrota de Chávez contra Óscar de la Hoya el 18 de septiembre de 1998. Prometió entonces romperse el alma para colocarlo en la cartelera del ganador entre González y Konstantyn Tzyu, quien finalmente sería su rival. Sulaimán no dejaría que JC se retirara con un título barato.

Pero hasta el año 2000 Julio parecía haber encontrado de nuevo el camino.

Después de noquear al estadounidense Buck Smith en 3 asaltos en un combate realizado en su natal Culiacán, el 19 de diciembre de 1999, estaba muy optimista: "Cerré muchas bocas que decían que estaba acabado". Y prometió conquistar la corona superligera frente al ruso Tzyu en el primer trimestre del 2000.

Semanas antes de la pelea, según relata la revista *Tvnotas*[13], JC estaba seguro de que ganaría:

> No estoy acabado, mis derrotas han sido circunstanciales; casi siempre he peleado lleno de problemas personales y sinceramente no me he preparado como debiera.

Comentó que descuidó su carrera porque no encontraba una motivación como la de ese momento: "Está canijo pelear para sólo pagarle al gobierno".

La principal motivadora fue su hija Nicole, de año y medio, "por la que sería capaz de cualquier cosa".

Pero también tuvo mucho que ver la que alguna vez fuera su comadre, Miriam Escobar, quien es ahora su nueva pareja: "Miriam me ha ubicado, me ha devuelto la tranquilidad que ya no tenía".

El combate ante Tzyu, el pasado 29 de julio en Phoenix, suscitó diversas opiniones. Algunos pensaban que JC estaba acabado —varios años antes—; pero muchos aún albergaban la esperanza de que Chávez se erigiera de nuevo como campeón. Sin embargo, todo quedó dicho en el sexto asalto cuando fue enviado a la lona.

Julio César dice a los medios después de la pelea: "El cuerpo no me respondió". Y le daba vueltas a la situación tratando de entender lo que había sucedido. Hasta llegó a decir que una bebida que le fue proporcionada de camino al Veterans Memorial Coliseum de Phoenix, fue la culpable del malestar en el estómago que sintió en el tercer round y los granos de pus que aparecieron en su rostro el día posterior al combate.

Lo único seguro para Chávez es que "el retiro es irrevocable". Ya no desea saber más del boxeo. Ahora quiere concentrarse en el futuro, "que son los negocios y el deporte", y reconoce que debe arreglar su vida: su familia, sus negocios....

Asumir que todo ha terminado cuesta trabajo; pero es necesario combatir aquellos demonios para disfrutar los años venideros.

Anunciamiento

Los ídolos se van, pero la leyenda persiste. Julio César Chávez está inscrito ya en la mitología del boxeo mundial.

Inicialmente se le catalogó como "el peleador de los 80", y el Consejo Mundial de Boxeo manifestó su anuencia en considerarlo uno de los diez mejores pugilistas en la historia.

Fue tan impactante su arribo a ese sórdido espectáculo, que la crónica mundial no pudo sustraerse a sus contribuciones al boxeo: el soberbio poder de su estilo y el lenguaje del rítmico y demoledor movimiento de su cuerpo. Se le comparó con Joe Louis, "El Bombardero café", gracias a su sorprendente trayectoria.

Ese indesterrable Joseph Louis Barrow, nacido en Lexington, Alabama, el 13 de mayo de 1914, fue descendiente de una explosiva combinación racial: india (cherokee), negra y blanca. Ése, quien estableció récord mundial de veinticinco defensas en una sola división, la de los completos. Ése, el que perdió por única vez como profesional antes de su retiro en 1949, frente al alemán Max Schmeling, en combate no titular. Ese primer negro, monarca de peso completo desde que Jack Johnson (John Arthur, "El Gigante de Galveston") conquistó la corona en 1908. Ese teniente cuyo papel en la Segunda Guerra Mundial fue ofrecer exhibiciones a las tropas estadounidenses y donar dólares de sus dos peleas titulares para los fondos de la marina y el ejército. Ése...

Louis, luego de conquistar la corona mundial de peso completo y noquear en 8 rounds a Jimmy Braddock el 22 de junio de 1937 en Chicago, defendió otras veintidós ocasiones su título, mismas que ganó por nocaut, hasta que decidió su retiro el 1° de marzo de 1949, como monarca invicto. Tuvo que regresar para liquidar adeudos con el fisco. Al ser derrotado por Rocky Marciano en 8 asaltos el 26 de octubre de 1951, decidió su retiro final —a los 37 años de edad— y dar sus últimas 10 de las 116 peleas de exhibición desde 1941. En 1954 fue elegido miembro del Salón de la Fama.

Louis reinó como ningún otro peleador entre los completos, durante once años y ocho meses.

En el caso de Julio César es sorprendente.

Hoy, a sus 38 años de edad, vistió el ropaje de monarca durante nueve años y tres meses y fracción. Y en un doble paralelismo con Louis, también tuvo que retrasar —¿o quizá ir apresurando?— el momento de su retiro para quedar a mano con el fisco, hasta que ocurra el digno adiós o la muerte súbita para un sobresaliente del ring.

Pero mientras llega la hora del final deportivo, el campeón sigue sintiéndose consentido de las multitudes y orienta su ego a toda la amplitud cósmica que le otorgaba su juventud.

Existe un breve ejemplo del escritor norteamericano Gay Talese, quien escribió en la revista *Esquire* (otoño de 1962) un reportaje estilo novela sobre Joe Louis:

> —¡Hola mi amor!—le gritó Joe Louis a su esposa, cuando lo esperaba en el aeropuerto de Los Ángeles.
>
> Ella sonrió y se le acercó. Y cuando estaba a punto de apoyarse en la punta de sus pies para darle un beso, se detuvo.
>
> Le preguntó:
>
> —Joe, ¿dónde está tu corbata?
>
> A manera de disculpa, se encogió de hombros, modificando su boca en lo que pretendía ser una sonrisa de olvido:
>
> —Amorcito, estuve fuera toda la noche en Nueva York y no tuve tiempo...

Le recriminó su esposa:

—¡Toda la noche! Lo único que tienes que hacer allá es dormir.

Con "sonrisa fatigada", respondió "El Bombardero Café":

—Mi vida, soy un hombre viejo.

—Sí. Pero cuando vas a Nueva York, quieres ser joven otra vez.

No es preciso ir a la denominada *Big Apple* para entender esta preocupación de quien deja el poder deportivo y se acerca, inexorablemente, al paso de los años, al retiro o al peculiar espacio donde la mente del hombre maduro se recrea cuando ve las imágenes de un sobrecogedor pasado. Porque aunque durante ese pasado se vivieron momentos placenteros cuando el dinero fluía como riachuelos de felicidad, mayor es el anhelo rumbo al final del final.

Otros deportistas dejan atrás las atracciones de los años que pasan, y se concentran en el presente, sin llanto, amargura ni rencores.

"El Cacho", como le dicen en casa, está formado en otro entorno cultural.

Fue pobre, claro, como Louis. Y tuvo que lavar coches, vender periódicos y hasta aprender a ser vago, porque como se dice en el argot entre los deportistas incluidos en la categoría de los excluidos sociales: "Si no andas de cabrón no vas a llegar lejos".

Desde luego, se trata de convencer al chamaco para que se dedique en cuerpo y alma a la práctica de la competencia. Total: ya la vida cotidiana lo condenó. Al menos, el boxeo, por ejemplo, puede rescatarlo, a veces. Y si el producto es bueno, ganan todos: el mánager, el utilero, el sparring, el promotor, los *seconds*... y hasta el que cierra las puertas del gimnasio.

Perdón: olvidaba al que, sin cuidar el coche, con su trapo y su silbatito, avisa que puede salir cuando el lugar está solo. Y espera un peso por su "trabajo".

El boxeador se la rompe todos los días, aunque no llegue a ser, siquiera, monarca del barrio.

El campeón, o el derrotado, ése sí, da una moneda al chavo que anda por ahí, y que de pronto, cansado, debe regresar a casa: una coladera de la que a la mejor lo saca una oportunidad si se convierte en boxeador.

Así, los chicos pobres del barrio tienen ésa, una de sus últimas oportunidades. Como Joe Louis o Julio César.

Actualmente, Chávez se encuentra inmerso en una trampa. De alguna manera está atrapado en los hilos de la telaraña de una vida complicada. Precisamente ahora que vislumbra en el horizonte los últimos destellos de su incursión en el pancracio moderno. Etapa previa, por cierto, a la proyección de las siluetas que rescatarán la historia que construyó con su sangre, sudor, talento y sacrificio en los cuadriláteros...

Chávez es, también, a pesar de sus vicisitudes arriba y abajo de los encordados, un hombre fuera de lo común en el proceso del boxeo mundial. En el curso de veinte años como profesional del entarimado, ha ganado seis campeonatos mundiales en tres diferentes categorías.

Ha sido el portador del campeonato superpluma del Consejo Mundial de Boxeo, de la corona welter junior —o superligeros como también se les conoce— de la Federación Internacional de Boxeo (FIB); de los cetros ligero de la Asociación Mundial de Boxeo (AMB) y del CMB, así como del título superligero del CMB. Y posee una marca indeleble de 31 victorias, 4 derrotas y 2 empates con 21 nocauts en compromisos por la corona mundial.

Y todo esto desde que se inició en el profesionalismo con un nocaut en 6 episodios sobre Andrés Félix, en Culiacán, Sinaloa, el 5 de febrero de 1980, hasta su derrota contra Konstantyn Tzyu, también en 6 rounds, el pasado 29 de julio en Phoenix. Es decir, veinte años, cinco meses y veinticuatro días de travesuras, alegrías y sinsabores en los cuadriláteros. De arriba a abajo, de arriba a abajo del ring[14].

Antes del boxeo de paga, Julio César abandonó el amateurismo. Sólo disputó 13 combates: su estilo y sus aspiraciones nunca se ajustaron a la paciencia que requiere ese tipo tan especial de actuación gratuita. Nunca lo ilusionó lo efímero de una medalla olímpica. Deseaba ser un ganador lo más pronto posible y meter a sus bolsillos dinero abundante, ése que nunca tuvo en su niñez ni adolescencia. Ser un hombre rico.

—No puedo quejarme por lo que he ganado —me dice sonriendo allá en su retiro del bullicio cotidiano, en la soledad y brujería de su mansión del fraccionamiento Colinas de San Miguel, en Culiacán, ciudad sin centro (zócalo) pero con tres ríos y, sobre todo, bellas mujeres de hermosas piernas. Capital con gente amable pero con una historia mancillada por la presencia de mafiosos negociantes de la droga.

—He ganado dinero —agrega—, pero he tenido y tengo que pagar mucho todavía al fisco, además del que me ha quitado ella (se refiere a su esposa Amalia).

Desde que cobró por su primer compromiso, hasta la conquista superpluma vacante al noquear en 8 rounds a Mario "Azabache" Martínez el 13 de septiembre de 1984, en El Foro de Inglewood, California, su carrera había sido huracanada: 41 nocauts —sólo 3 decisiones y una descalificación—. Hasta aquel momento no habían provocado mucha atención los impactos devastadores originados en sus piernas y convertidos en dardos mortales en los nudillos de sus puños.

Su segunda corona —peso ligero— la ganó el 21 de noviembre de 1987, después de noquear técnicamente al portorriqueño Edwin Rosario en Las Vegas, cuando transcurría el undécimo asalto.

Y la tercera, en la división superligera, la hizo suya el 13 de mayo de 1989, al imponerse por nocaut técnico en 10 episodios al negro estadounidense Roger Mayweather, en combate celebrado en Inglewood.

En su pelea del 17 de marzo de 1990, venció a Meldrick Taylor en Las Vegas con un derechazo sobre la cabeza, faltando doce segundos en el último round. El réferi se vio obligado a detener la pelea luego de la caída de Taylor. JC retuvo su corona superligera, y adquirió de refilón el título welter junior del FIB.

Expuso sin derrota el campeonato superpluma en nueve ocasiones, pero se vio obligado a abandonarlo porque tuvo problemas de peso, al igual que cuando defendió ante su amigo y compañero de "establo", José Luis Ramírez. Le ganó técnicamente en 11 rounds, en Las Vegas, el 29 de octubre de 1988.

Ese mismo año retuvo la corona en dos ocasiones (ante Rodolfo Aguilar y José Luis Ramírez). Y como se mencionó, ganó el título superligero del CMB sobre Mayweather, cuando lo liquidó en diez.

Logró doce exitosas defensas, hasta que Frankie Randall detuvo su vendaval y le propinó decisión en 12 asaltos en Las Vegas, el 29 de enero de 1994.

Recuperó el título el 7 de mayo siguiente en la misma ciudad, al ganar la revancha técnicamente en ocho, y lo retuvo en cuatro ocasiones (ante Meldrick Taylor, Tony López, Giovanni Parisi y David Kamau). Lo volvió a perder técnicamente en 4 rounds al sangrar demasiado de su ceja izquierda ante el mexicoamericano Óscar de la Hoya, en Las Vegas.

Y como vimos, no pudo recuperarlo. Todo debido a sus problemas fuera del encordado —que lo desquiciaron— y, por supuesto, al paso de los años. Desde el 7 de junio de 1996, JC estuvo ausente como rey del ring.

Sin embargo, es digno mencionar que de los más de setenta monarcas mundiales que ha producido la selva mexicana, sólo seis han sido capaces de conquistar la corona en más de una categoría. Desde luego, el primero es Julio César.

Y le sigue Rubén "El Púas" Olivares, monarca en cuatro ocasiones: dos en peso gallo (1969-70 y 1971-72) y otras tantas en pluma (1974 en la AMB y 1975 en el CMB). En la división de las 122 libras (55.338 kilogramos), noqueó en 5 asaltos el 22 de agosto de 1969 a Lionel Rose, en El Foro de Inglewood. Perdió ante "Chucho" Castillo el 16 de octubre del año siguiente, al ser noqueado en 14 episodios; pero recuperó el título ante ese mismo mexicano el 19 de mayo de 1971 en un fragoroso combate que llegó hasta el límite de los 15 rounds (en esa época no se había reducido a 12 episodios los combates por la corona mundial).

Rubén Olivares "El Púas" cedió su corona gallo ante Rafael Herrera al ser noqueado en ocho asaltos, el 19 de marzo de 1972 en México. Posteriormente, el 23 de junio de 1973, acabó en nueve a Bobby Chacón en Inglewood, para adjudicarse el cetro pluma vacante (versión AMB). Lo perdió el 23 de noviembre de 1974 ante el nicaragüense Alexis Argüello, en una de las peleas más emotivas de "El Púas" quien, a pesar de estar llevando un boxeo impecable, cometió un grave error y fue noqueado por Alexis en el decimotercer round: como los toreros cuando embiste el burel y lo recibe la espada del diestro. Fue un derechazo demoledor que lo envió al reclusorio del entarimado.

El 20 de junio de 1975, también en Inglewood, volvió a pulverizar a Bobby Chacón en 2 episodios y se llevó el título pluma versión CMB. Desde entonces, Bobby enfrentaba gravísimos problemas familiares que condujeron por fin a su esposa al suicidio, porque sufría al ver las madrizas que le aplicaban a su marido.

Otro doble campeón fue José Guadalupe (Lupe) Pintor, ese recio de Cuajimalpa, uno de los más prestigiados en la posesión de los títulos gallo y supergallo. Su primera corona la conquistó sobre otro monarca, el también mexicano Carlos Zárate (titular gallo del CMB 1976-79), el 3 de junio de 1979, en Las Vegas, en 15 asaltos. Y luego venció a Juan Meza el 18 de agosto de 1985, en el Palacio de los Deportes, ganando el título supergallo. Fue el regidor de esas divisiones desde fines de los 70 hasta prácticamente mediados de los 80.

Otro gallón y supergallazo se llama Daniel Zaragoza, nacido en el Distrito Federal y veterano de 41 años, quien se convirtió en monarca gallo luego de que Freddy Jackson fue descalificado en el séptimo round. Esto ocurrió el 4 de mayo de 1985. Cuatro años después, el 29 de febrero de 1988, se impuso a Carlos Zárate para ganar el campeonato supergallo vacante del CMB en 10 episodios.

Freddy "Loco" Castillo —campeón absoluto minimosca en 1978 y mosca en 82—, conquistó su primera corona del CMB el 19 de febrero de 1978, al noquear en Caracas a Luis Lumumba Estaba. Luego ganó la corona mosca el 24 de julio de 1982. Derrotó en un difícil combate al colombiano Prudencio Carmona, en Mérida.

Y, finalmente, Raúl "El Jíbaro" Pérez —su cuerpo espigado, moreno—, oriundo de Guadalajara, pero avecindado en Tijuana, se adjudicó el título mundial gallo una vez que le arrebató el fajín al colombiano Miguel "El Happy" Lora, el 2 de octubre de 1988, en Los Ángeles. Posteriormente, también en la ciudad californiana, el 11 de octubre de 1991, se ad-judicó el cetro supergallo al derrotar al también colombiano Luis "Chicanero" Mendoza.

Para los especialistas —entre ellos uno de los más connotados, Víctor Cota—, Chávez ha tenido básicamente a "no más de cuatro antecesores principales": los estadounidenses Barney Rosofsky —mejor conocido como Barney Ross—, Tony Canzoneri y Aaron Pryor, además del portorriqueño Carlos Ortiz.

—Aunque ninguno como Chávez —asegura.

Ross —profesional de 1931 a 1942— fue monarca en tres categorías: ligero (1933-35), welter junior (1933-35) y welter (1934; 1935-1938). Sostuvo 82 combates, ganó 24 por nocaut y 50 decisiones, empató 3 veces, perdió 4 batallas por puntos, y nunca fue noqueado. Este judíoestadounidense nacido en Nueva York ingresó al Salón de la Fama en 1956.

El italoestadounidense Tony Canzoneri fue también triple monarca: pluma (1928), ligero (1930-1933; 1935-1936) y welter junior (1931-32; 1933). De 176 presentaciones, conquistó 44 por nocaut y 95 por puntos. Empató 10 veces, perdió 22 decisiones y 1 por foul. Fue noqueado en una ocasión.

Pryor, monarca en la división welter junior en 1980-90, ejerció dominio de 35 victorias antes del límite, 4 decisiones y una solitaria derrota. Ganó la corona al colombiano Antonio Cervantes, luego de levantarse de la lona en el primer round, para luego noquear en el cuarto, en combate celebrado en su tierra natal, Cincinnati, Ohio. En su haber se anotan 2 nocauts sobre el nicaragüense Alexis Argüello, en 1982 (nocaut técnico en el 14) y 1983 (nocaut técnico en el 10).

El portorriqueño Carlos Ortiz fue campeón mundial welter junior (1959-1960) y ligero (1962-1965; 1965-1968). Durante 70 combates logró 30 nocauts, 31 decisiones, 1 empate, 6 perdidos por decisión y fue noqueado una vez.

Julio César Chávez se ha subido a un entarimado en 110 ocasiones, bombardeando a sus rivales para obtener 103 victorias, ceder 5 derrotas y 2 empates, y la friolera de 84 relámpagos que acompañan al nocaut. Lástima de sus fracasos ante Randall y De la Hoya. Tendría un récord impecable.

Muchos se han preguntado si Julio César cumplió con De la Hoya su combate 100, de acuerdo con la estadística de la oficina de Don King. Mentes suspicaces aseguran que se trató del compromiso 99, porque se repitió, en la relación de peleas celebradas, un combate con José Medina el 7 de agosto del 81 y el 29 de marzo del 82. En ambos, ocurridos en Tijuana, aparece que JC ganó por nocaut en 6 asaltos.

Y desde luego, el viejo y desechado argumento difundido por la agencia estadounidense de noticias Associated Press (AP), en cuanto a que Chávez sufrió su primer revés —por descalificación—, durante su decimosegunda pelea profesional, el 3 de abril de 1981, ante Miguel Ruiz, en Culiacán. En principio, se equivoca la agencia, porque el combate se celebró el 4 de marzo, no el 3 de abril.

Al respecto, Julio César ha respondido:

> Eso ya ni lo quiero mencionar, porque mi ex mánager Ramón Félix —que en paz descanse—, se cansó de explicar lo sucedido. Yo noqueé a Ruiz en el primer asalto, con un golpe casi simultáneo con el sonido del campanazo. Él creyó que el golpe se produjo después del campanazo y dio a Ruiz como ganador. Al día siguiente, la Comisión de Box de Culiacán anuló el fallo y me dio la victoria, porque yo fui el ganador.

Pecados mínimos, por supuesto. Si su combate contra De la Hoya fue el número 99 o 100, realmente, después del historial boxístico de JC, ¿a quién le importa una peleíta más o menos?

La verdad es que Julio César es reconocido mundialmente. Antes de ser aceptado como ídolo en su propio país, había sido proclamado por la crítica internacional como "el púgil de los 80".

Ya para 1993, JC estaba en su punto: ocupaba la cima del universo boxístico.

La prensa británica no dejaba de elogiarlo y hasta lo designó como el "hombre de la estadística perfecta".

El semanario británico *Boxing News* (agosto del 93) lo apodó "El Supremo", luego de recibir dos mil quinientras cartas de sus lectores —sin ninguna objeción— en las que respondieron a una encuesta para conocer al más destacado. Y Chávez resultó el campeón cien por ciento. Hasta ese año, el boxeo mexicano había tenido 57 campeones mundiales, pero ninguno como JC.

A fines de ese 1993, de acuerdo con una encuesta de la agencia noticiosa estadounidense AP, se le designó el mejor deportista latinoamericano, justo cuando Diego Armando Maradona regresó de uno de sus retiros del calabozo de las drogas. Se le consideró superior al cubano Javier Sotomayor, quien ganó medalla de oro en salto de altura en los Juegos Olímpicos de Barcelona.

Tampoco los franceses pudieron sustraerse a la avalancha de Julio César Chávez. Claude Askolovitch, en *L'Evenement du Jeudi* —el acontecimiento del jueves, 1° al 7 de abril, 1993—, escribe sobre el mexicano un reportaje bajo el título "Dios del Ring y Señor de México":

> Este hombre es, a la vez, el más grande boxeador del mundo y una leyenda viviente. Él solo tiene el poder de reunir a una multitud equivalente a la población de una ciudad.

Recuerda el taquillazo que logró en el Azteca frente a Greg Haugen, y agrega:

> Chávez no tiene más que una táctica: pelear. Golpear el cuerpo del rival con disparos constantes, bien apoyados, fabricados para destruir al gladiador en turno, hasta quitarle el dolor al adormecer su cuerpo. Avanza, recula, finta, pero todo en un ataque constante y feroz. Sin tregua. Aceitado, preciso, cruel. Los boxeadores por él noqueados no han recuperado jamás su nivel de antaño.

El 26 de enero, el Consejo Mundial de Boxeo (CMB) felicitó al entonces monarca superligero, quien "este día se convirtió en el boxeador que en toda la historia ha permanecido más tiempo activo sin derrota, con 12 años, 11 meses y 12 días".

En el comunicado, el CMB destaca que Chávez rompió el récord que poseía Jack McAuliffe, de Irlanda, quien en el mismo lapso realizó 36 combates, en tanto que JC "se encuentra invicto en 84 pleitos, con lo que también supera al argentino Carlos Monzón, a Larry Holmes y a Joe Louis, todos con 12 años en los encordados pero sin alcanzar la marcha de los 84 combates".

Entre las críticas a Chávez, sobresalió la de *Sports Illustrated*, que vio ganar a Pernell Whitaker en el Alamodome el 10 de septiembre de 1993, cuando el mexicano pretendió obtener la corona welter CMB. El resultado fue un empate. Pero el anuario elaborado por dicha revista deportiva estadounidense consigna que "El Chícharo" aterrizó cien golpes más que el retador.

En fin. De haber ganado, Chávez habría conquistado su cuarta corona en otras tantas divisiones.

Lo cierto es que desde hacía ocho años, JC estaba contemplando la idea del retiro. Una idea, en su momento, perfecta: un periplo de despedida.

El 11 de septiembre de 1992, uno de los ex promotores del Frontón México, Ángel García, declaró que Julio estaba comprometido para su gira del adiós en la República Mexicana. El proyecto estaba supeditado, en gran medida, al resultado de su pelea contra Camacho.

Pensaron, dijo también García en aquella ocasión, que JC exigió una sola pelea en la Plaza México, para superar la marca que estableció Raúl "El Ratón" Macías al llenar los tendidos del coloso de la Colonia Nápoles, cuando más de 50 mil espectadores lo vieron vencer a Nate Brooks la noche del domingo 26 de septiembre de 1954.

La historia le depararía otro tipo de desenlace, en el que está debatiéndose ahora.

Porque, a pesar de su hoja de servicios en el cuadrilátero, su rostro entre la muchedumbre no ha podido eludir el estigma del arroyo...

Apéndice 1
El alma rota

El caso de JC Chávez llega ya a los límites de la perversidad. Que deba pagar impuestos es un asunto que se soluciona con dinero. De hecho, lo está afrontando desde ahora.

Pero que en el conflicto familiar se manipulen la inocencia y los sentimientos de sus hijos, lleva al fallido matrimonio al combate más sucio que pueda librar una pareja.

Porque del juzgado "de paz" –ventilan allí su divorcio–, hasta las acusaciones en el "penal" –ella teme ser atacada por Julio César y lo acusa de secuestro de sus propios pequeños–, la pelea carece del juego limpio para convertirse en aterrador alarido de perros en combate callejero.

De toda esta lamentable situación ya nadie saldrá ileso, finalice como finalice, y mucho menos los chavales Julio y Omar.

El 24 de octubre de 1995, Amalia acusó a su marido de haberla golpeado. Desde entonces, el matrimonio Chávez dejaba entrever el futuro inestable de su relación. Dos años antes se habían esparcido rumores de problemas entre ambos, pero en aquellos días Julio César hizo la broma:

–Si de alguien me divorciaría, sería de Don King...

A finales de mayo de ese año, cuando fui a hacer un reportaje sobre el monarca, con motivo de acusaciones que lo relacionaban con narcoproblemas, se advertía en su casa un raro encanto.

Por una parte, era constantemente frecuentada por visitantes de todo tipo, que proporcionan un toque de despersonalización. Afuera, los saludos constantes de la gente del barrio. Y por otra, el tedio de una esposa agobiada por no poder disponer, como cualquier persona normal, de su propio hogar.

Esa vez, Julio César, José Sulaimán, "La Chiquita" González –quien le pidió compadrazgo para su próximo bebé– y yo, fuimos a la casa frente al mar que construía el monarca.

En la camioneta, Julio César llevaba a un guitarrista pobre, quien le cantaba toda la tarde por unos pesos cuando atendía a sus constantes visitantes. Y un nucleolo de amigos, y hermanos, en la caravana.

Amalia se quedaba en casa, atendida por los guardianes –amigos, parientes– que Julio César le ponía para que la cuidaran a ella y a sus hijos.

Desde entonces, pues, casi nada positivo ocurrió.

La vida de los Chávez siguió deteriorándose lentamente. La ira en el hogar a la que el dinero es incapaz de dar alivio.

Ella se va de casa demanda tras demanda, acusación tras acusación, rencor tras rencor.

Y nadie sabe aún quién es el culpable, sencillamente porque ambos –y quién sabe cuántos más– en el fondo, son los villanos: han logrado colocar a los niños en el estigma de la marginalidad familiar.

Quizá por el momento su dolor no lo entiende la mirada pública, porque en términos generales la gente está interesada en un combate entre un hombre y una mujer.

Pocos saben cuánto y qué tipo de imágenes de todo este conflicto retendrán los niños. Y tampoco qué tanto y de qué manera se verán afectados.

Lo cierto es que, al final de todo, los acosa ya el dolor del alma infantil.

Columna "Marcador",
9 de diciembre de 1996

Apéndice 2
Ave Fénix

Seguramente, el combate de Julio César Chávez contra Óscar de la Hoya, el 4 o 5 de mayo, en Las Vegas, no será el último de su carrera. Aunque significara su combate número 100, luego del cual JC anunció su retiro.

Dos motivos avalan esta hipótesis: el primero es su déficit financiero, que le ocasionó problemas tan graves que estuvo al borde del embargo –en su pelea con De la Hoya ganará 9 millones de dólares–; y el segundo, que ahora cobra consistencia vital, es el de sentirse "un Chávez para rato...".

Por ello, es hasta cierto punto lógico que después de torear su conflicto económico, y de alguna manera estar resignado ante la ruptura con su esposa Amalia Carrasco, tiene deseos de resurgir con el último vigor en esta parte final del decimosegundo round en su vida deportiva.

Antes de que le toquen la campana.

Él mismo lo dice:

> No estoy acabado. Y si hay buenas bolsas, podría seguir. Lo veremos cuando derrote a Óscar, a pesar de ser muy bueno; me he enfrentado a mejores.

Por lo pronto, decidió entrenar en Toluca, su campamento consentido, donde permanecerá hasta poco antes de su combate contra un "acertijo" –rival no revelado aún–, el próximo 9 de febrero en Las Vegas. Regresar, y entonces, bajo la supuesta batuta del promotor Bob Arum, ligar otro combate en marzo y, el 4 o 5 de mayo, la pelea "final" contra De la Hoya.

Independientemente de todo, es preciso percatarse de algunos elementos que no se han puesto en la balanza en este *sui géneris* caso de JC.

Por un lado, el repentino cambio de promotor, cuando Chávez tiene aún contrato vigente con Don King.

José Sulaimán, titular del CMB, piensa que de alguna manera existe, o bien un acuerdo o una indemnización de Arum a King.

Reflexiona:

A ninguno le interesa llegar a un litigio en la Corte. Esto sólo estropearía el gran duelo, tan meticulosamente promovido desde hace un par de años, y que tan bien horneado está quedando.

También habría que considerar que el pleito contra De la Hoya puede o no ser por el campeonato mundial. JC es superligero y Óscar ligero. El mexicoamericano no sube todavía de división, lo que sería un *handicap* para él, a pesar de la diferencia de edades (35 por 22 años). Y aunque llegara a la siguiente categoría, De la Hoya sería prácticamente un novato.

Julio César, de acuerdo con el reglamento del CMB, tiene hasta septiembre para exponer su corona. Dice Sulaimán:

–Reglamentariamente, Julio puede hacer defensas voluntarias y elegir a su retador.

En caso de llegar a septiembre sin exponer su corona, y de vencer a Óscar en mayo, me inclino a pensar que JC seguirá hasta morir, entre las doce cuerdas.

No ha sido ni será el primero en mantenerse refugiado entre el estruendo de las manos populares, los cánticos de garganta desgañitada hasta el alarido de sus seguidores, y el arrumaco de la irresistible doncella llamada fama.

Columna "Marcador",
8 de enero de 1996

Apéndice 3
Crepúsculo

Dicen que las verdades de nuestra juventud se convierten a menudo en falsedades de nuestra mediana edad. Es parte del precio que tenemos que pagar por estar vivos. Aceptamos benignamente el deterioro de la carne y de la belleza, pero es muy difícil aceptar la decadencia de las ideas.

Pero hay otros conceptos –más sólidos quizá– a los que se aferra un hombre habituado a las deliciosas falacias del síndrome del espejo, bien reflejadas en las imágenes de la bruja en Blanca Nieves.

Narcisismo cotidiano producido por una de las condiciones más débiles del ídolo: el ensueño de un eco que adormece la realidad, pero que arrulla en suave vaivén las ilusiones que flotan en el silencio.

Todo este mundo interior que se origina en el cuadrilátero, gracias a la condición de monarca y a los aplausos y vítores que le dan el motivo de existir al ídolo, al ser legendario, al hombre-mito.

Pero no sólo de aplausos ni de elogios vive el divo del ring.

El dinero es fundamental.

Porque si bien el dinero no lo compra todo, desde luego otorga muchas satisfacciones y una vida holgada, sin penas, sin angustias y sin llanto...

Por ello, es frecuente ver al monstruo del espectáculo aferrarse con vehemencia y tesonera pasión a los inolvidables viejos días de gloria. Pero es muy peligroso pretender alargar más de veinticuatro horas aquellos días esplendorosos.

Porque lo que se hizo, en el futuro está en el pasado. Es preciso reconocer cuando el crepúsculo acaba de arribar al ring.

Y Julio César Chávez corre el riesgo de olvidar esta máxima antes de llegar al ridículo, como Anthony Queen en aquella cinta denominada *Réquiem para un luchador*.

Desde luego, por 9 millones de dólares, vale la pena recibir una buena felpa en 4 rounds. Total: una herida en el párpado o la ceja puede ser bien tratada. Y cuesta bien poco restaurarla.

Y por lo que JC ha declarado, un poquito más de sangre en nada lesionará su integridad. Siempre, pues, con la esperanza de un golpe de suerte, un poquito de gracia y otra cosita, y arriba y arriba...

Sin embargo, después de lo que vimos, la diferencia entre Chávez y Oscar de la Hoya es descomunal. Pegue fuerte o no el Golden Boy, la verdad es que es mucho más rápido que el sonorense. Su mayor alcance le otorga además una ventaja específica que mantiene al rival fuera de su distancia.

También es preciso percatarse de la fragilidad de la piel de *Mr. Nocaut*, quien por cierto no es ya el demoledor bulldozer que solía ser en sus mejores años.

Y por supuesto, ver que JC ha perdido la motivación por el placer del vaivén pugilístico, por el gozo del cuerpo en esto que para muchos es fina esgrima y para otros un pequeño circo donde los gladiadores están encerrados entre doce cuerdas, y en el que el vencedor es quien logra sacar mayor provecho de lo que puede ser una masacre reglamentada.

Un adiós sería lo más sensato. De lo contrario, previo al antecedente de haber subido lesionado al entarimado, podría convertirse en un sospechoso final emparentado con el tongo, en lugar de un decoroso retiro.

Columna "Marcador",
17 de junio de 1996

Notas

PREÁMBULO
[1] Parafraseando al compositor popular *Chava* Flores.

CAPÍTULO 1
[2] Hasta 1998, después de los pugilistas estadounidenses, los mexicanos ocupaban el segundo lugar en títulos mundiales. De las 17 divisiones, nuestros compatriotas poseen cinco cetros. Los norteamericanos eran dueños de siete, en tanto que con uno solo estaban los representantes de Francia, Australia, Gran Bretaña, Ghana, Japón y Rusia.
[3] *Julio César Chávez,* Don King Productions, 1993.

Capítulo 2

[4] *Julio César Chávez, Nuestro Campeón*, Editorial Pax México-Librería Carlos Césarman, S.A., 1990

[5] *Proceso* núm. 786, 25 de noviembre de 1991, por Francisco Ponce.

[6] Habrá que ver qué sucede con Cuauhtémoc Blanco ahora que se ha ido a España a jugar con el Valladolid.

[7] Parafraseando al grupo Botellita de Jerez con su canción *Alármala de tos*.

[8] *Proceso* núm. 545, 13 de abril de 1987.

Capítulo 3

[9] *Proceso* núm. 786, 25 de noviembre de 1991, por Francisco Ponce.

Capítulo 4

[10] King es un exconvicto; debió pagar una breve condena por asesinato imprudencial. Nació en un barrio pobre de Cleveland el 20 de agosto de 1931.

Capítulo 5

[11] *Cuesta abajo*, de Carlos Gardel.

CAPÍTULO 6
[12] Juego de palabras de la región norte del país.

COLOFÓN
[13] *Tv notas* núm. 188. Semana 24, junio 13 de 2000, por Rafael Ortiz A.

ANUNCIAMIENTO
[14] Juego de palabras con la letra de la canción *De arriba abajo*, de Chico Ché.

Esta obra se terminó de imprimir
en noviembre de 2000, en
Impresora Carbayón, S.A. de C.V.
Calz. de la Viga 590
Col. Sta. Anita
México, D.F.

LEIDO POR:	FECHA	CALIFICA
NAPOLEON TREJO. JR	5/05/03	10+